　漢太尉祭酒許愼記

銀青光祿大夫守右散騎常侍上柱國東海縣開國子食邑五百戶臣徐鉉等奉
敕校定

六十三部　五百二十七文　重百二十二
凡七千二百七十三字
文十五新附

竹　冬生艸也象形下垂者箁箬也凡竹之屬皆从竹　陟玉切

箭　矢也从竹前聲子賤切
箘　箘簬也从竹囷聲一曰博棊也渠隕切
簬　箘簬也从竹路聲夏書曰惟箘簬楛洛故切
簵　古文簬从輅
筱　箭屬小竹也从竹攸聲先杳切
簜　大竹也从竹湯聲夏書曰瑤琨筱簜簜可爲幹筱可爲矢徒朗切
䉣　竹也从竹微聲無非切
𥳮　籒文从微省
筍　竹胎也从竹旬聲思允切
䈚　竹萌也从竹怠聲徒哀切
箁　竹箬也从竹咅聲薄侯切
箬　楚謂竹皮曰箬从竹若聲而勺切
節　竹約也从竹即聲子結切
筡　折竹笢也从竹余聲讀若絮同都切
⿱竹鼻　筡也从竹鼻聲武移切
笢　竹膚也从竹民聲武盡切
笨　竹裏也从竹本聲布忖切
䈵　竹皃从竹翁聲烏紅切
篸　差也从竹參聲所今切
篆　引書也从竹彖聲持兖切
籒　讀書也从竹擂聲春秋傳曰卜籒云直又切
篇　書也一曰關西謂榜曰篇从竹扁聲芳連切
籍　簿書也从竹耤聲秦昔切
篁　竹田也从竹皇聲戶光切
⿱竹將　剖竹未去節謂之⿱竹將从竹將聲即兩切
⿱竹枼　籥也从竹枼聲与接切
籥　書僮竹笘也从竹龠聲以灼切
⿱竹劉　竹聲也从竹劉聲力求切
簡　牒也从竹閒聲古限切
笐　竹列也从竹亢聲古郎切
䈬　滿爰也从竹部聲薄口切
等　齊簡也从竹从寺寺官曹之等平也多肯切
笵　法也从竹竹簡書也氾聲古法有竹刑防𢖍切
箋　表識書也从竹戔聲則前切
符　信也漢制以竹長六寸分而相合从竹付聲防無切
筮　易卦用蓍也从竹从𢍰𢍰古文巫字時制切
笄　簪也从竹幵聲古兮切
⿱竹匠　取蟣比也从竹匠聲居之切
篗　收絲者也从竹蒦聲王縛切
䉶　篗或从竹从閒
筳　維絲筦也从竹廷聲特丁切
筦　筟也从竹完聲古滿切

筟 筳也从竹孚聲讀若春秋魯公子彄又芳無切
笮 迫也在瓦之下棼上从竹乍聲阻厄切
簾 堂簾也从竹廉聲力鹽切
簀 牀棧也从竹責聲阻厄切
笫 牀簀也从竹𠂔聲阻史切
筵 竹席也从竹延聲周禮曰度堂以筵筵一丈以然切
簟 竹席也从竹覃聲徒念切
籧 籧篨粗竹席也从竹遽聲彊魚切
篨 籧篨也从竹除聲直魚切
籭 竹器也可以取粗去細从竹麗聲所宜切
籓 大箕也从竹潘聲一曰蔽也甫煩切
籅 漉米籔也从竹奧聲於六切
籔 炊箅也从竹數聲蘇后切
箅 蔽也所以蔽甑底从竹畀聲必至切
⿱竹稍 飯筥也受五升从竹稍聲秦謂筥曰⿱竹稍山樞切
⿱竹捎 陳留謂飯帚曰⿱竹捎从竹捎聲一曰飯器容五升一曰宋魏謂箸筩爲⿱竹捎所交切
筥 ⿱竹稍也从竹呂聲居許切
笥 飯及衣之器也从竹司聲相吏切
簞 笥也从竹單聲漢律令簞小筐也傳曰簞食壺漿都寒切
簁 簁箄竹器也从竹徙聲所綺切
箄 簁箄也从竹卑聲并弭切
篿 圜竹器也从竹專聲度官切
箸 飯攲也从竹者聲陟慮切又遲倨切
簍 竹籠也从竹婁聲洛侯切
筤 籃也从竹良聲盧黨切
籃 大篝也从竹監聲魯甘切
⿱竹⿸厂⿱竹目 古文籃如此
篝 答也可熏衣从竹冓聲宋楚謂竹篝牆以居也古侯切
笿 桮笿也从竹各聲盧各切
⿱竹夅 桮笿也从竹夅聲或曰盛箸籠古送切
籢 鏡籢也从竹斂聲力鹽切
籫 竹器也从竹贊聲讀若纂一曰叢作管切
籯 笭也从竹贏聲以成切
⿱竹删 竹器也从竹删聲蘇旰切
簋 黍稷方器也从竹从皿从皀居洧切
⿷匚飢 古文簋从匚飢
匭 古文簋或从軌
朹 亦古文簋
簠 黍稷圜器也从竹从皿甫聲方矩切
医 古文簠从匚从夫
籩 竹豆也从竹邊聲布元切
⿷匚⿱𠂆邊 籀文籩
⿱竹屯 篅也从竹屯聲徒損切
篅 以判竹圜以盛穀也从竹耑聲市緣切
簏 竹高篋也从竹鹿聲盧谷切
箓 簏或从彔
⿱竹昜 大竹筩也从竹昜聲徒朗切
筩 斷竹也从竹甬聲徒紅切
箯 竹輿也从竹便聲旁連切
笯 鳥籠也从竹奴聲乃故切
竿 竹梃也从竹干聲古寒切
籱 罩魚者也从竹靃聲竹干切
籗 籱或省
箇 竹枚也从竹固聲古賀切
筊 竹索也从竹交聲胡茅切
筰 筊也从竹作聲在各切
⿱竹沾 蔽絮簀也从竹沾聲讀若錢昨鹽切
箑 扇也从竹疌聲山洽切
䈉 箑或从妾
籠 舉土器也一曰笭也从竹龍聲盧紅切
⿱竹襄 袞也从竹襄聲如兩切
⿱竹互 可以收繩也从竹象形中象人手所推握也胡誤切
互 ⿱竹互或省
簝 宗廟盛肉竹器也从竹尞聲周禮供盆簝以待事洛蕭切
⿱竹豦 飲牛筐也从竹豦聲方曰筐圜曰⿱竹豦居許切
篼 飲馬器也从竹兜聲當侯切
籚 積竹矛戟矜也从竹盧聲春秋國語曰朱儒扶籚洛乎切
箝 籋也从竹拑聲巨淹切
籋 箝也从竹爾聲臣鉉等曰爾非聲未詳尼輒切
簦 笠蓋也从竹登聲都滕切
笠 簦無柄也从竹立聲

[illegible] 形中象人手所推握也胡誤切 [illegible]

[illegible] 宗廟盛肉竹器也从竹尞聲周禮供盆簝以待事洛蕭切 [illegible]

[illegible] 讀若纂一曰叢作管切 [illegible]

[illegible]

力入切

箱 大車牝服也从竹相聲息良切

篚 車笭也从竹匪聲敷尾切

笭 車笭也从竹令聲一曰笭籯也郎丁切

⿱竹剡 搔馬也从竹剡聲丑廉切

策 馬箠也从竹朿聲楚革切

箠 擊馬也从竹垂聲之壘切

⿱竹朵 箠也从竹朵聲陟瓜切

笍 羊車騶箠也箸箴其耑長半分从竹內聲陟衛切

籣 所以盛弩矢人所負也从竹闌聲洛干切

箙 弩矢箙也从竹服聲周禮仲秋獻矢箙房六切

⿱竹朱 栙雙也从竹朱聲陟輸切

笘 折竹箠也从竹占聲潁川人名小兒所書寫爲笘失廉切

笪 笞也从竹旦聲當割切

笞 擊也从竹台聲丑之切

籤 驗也一曰銳也貫也从竹韱聲七廉切

⿱竹殿 楊也从竹殿聲臣鉉等曰當从臀省聲徒魂切

箴 綴衣箴也从竹咸聲職深切

箾 以竿擊人也从竹削聲虞舜樂曰箾韶所角切又音簫

竽 管三十六簧也从竹亏聲羽俱切

笙 十三簧象鳳之身也笙正月之音物生故謂之笙大者謂之巢小者謂之和从竹生聲古者隨作笙所庚切

簧 笙中簧也从竹黃聲古者女媧作簧戶光切

⿱竹是 簫屬从竹是聲是支切

簫 參差管樂象鳳之翼从竹肅聲穌彫切

筒 通簫也从竹同聲徒弄切

籟 三孔龠也大者謂之笙其中謂之籟小者謂之箹从竹賴聲洛帶切

箹 小籟也从竹約聲於角切

管 如篪六孔十二月之音物開地牙故謂之管从竹官聲古滿切

琯 古者玉琯以玉舜之時西王母來獻其白琯前零陵文學姓奚於伶道舜祠下得笙玉琯夫以玉作音故神人以和鳳皇來儀也从玉官聲

篎 小管謂之篎从竹眇聲亡沼切

笛 七孔筩也从竹由聲羌笛三孔徐鍇曰當从胄省乃得聲徒歷切

筑 以竹曲五弦之樂也从竹从巩巩持之也竹亦聲張六切

箏 鼓弦竹身樂也从竹爭聲側莖切

箛 吹鞭也从竹孤聲古乎切

篍 吹筩也从竹秋聲七肖切

籌 壺矢也从竹壽聲直由切

簺 竹棊相塞謂之簺从竹从塞塞亦聲先代切

簙 局戲也六箸十二棊也从竹博聲古者烏胄作簙補各切

篳 藩落也从竹畢聲春秋傳曰篳門圭窬卑吉切

䈓 蔽不見也从竹愛聲烏代切

⿱竹嚴 惟射所蔽者也从竹嚴聲語杴切

篽 禁苑也从竹御聲春秋傳曰澤之目篽魚舉切

⿰魚又 篽或从又魚聲

筭 長六寸計歷數者从竹从弄言常弄乃不誤也蘇貫切

算 數也从竹从具讀若筭蘇管切

笑 此字本闕臣鉉等案孫愐唐韻引說文云喜也从竹从犬而不述其義今俗皆从犬又案李陽冰刊定說文从竹从夭義云竹得風其體夭屈如人之笑未知其審私妙切

文百四十四 重十五

簃 閣邊小屋也从竹移聲說文通用誃弋支切

筠 竹皮也从竹均聲王春切

笏 公及士所搢也从竹勿聲案籀文作㫚象形義云佩也古笏佩之此字後人所加呼骨切

篦 導也今俗謂之篦从竹毘聲邊兮切

篙 所以進船也从竹高聲古牢切

文五 新附

簸也从竹𠀠象形下其丌也凡箕之屬皆从箕 居之切

古文箕省 亦古文箕 亦古文箕 籀文箕 籀文箕

揚米去糠也从箕皮聲布火切

文二 重五

下基也薦物之丌象形凡丌之屬皆从丌讀若箕同 居之切

古之遒人以木鐸記詩言从辵从丌丌亦聲讀與記同徐鍇曰遒人行而求之故从辵丌薦而進之於上也居吏切

五帝之書也从冊在丌上尊閣之也莊都說典大冊也多殄切

古文典从竹

巽也从丌从頭此易顨卦爲長女爲風者臣鉉等曰頭之義亦選具也蘇困切

相付與之約在閣上也从丌由聲必至切

具也从丌𠬞聲臣鉉等曰庶物皆具丌以薦之蘇困切

古文巽 篆文巽

置祭也从酋酋酒也下其丌也禮有奠祭者堂練切

文七 重三

手相左助也从𠂇工凡左之屬皆从左 則箇切臣鉉等曰今俗別作佐

貳也差不相值也从左从𠂹徐鍇曰左於事是不當值也初牙切又楚佳切

籀文差从二

文二 重一

巧飾也象人有規榘也與巫同意凡工之屬皆从工 徐鍇曰爲巧必遵規榘法度然後爲工否則目巧也巫事無形失在於詭亦當遵規榘故曰與巫同意古紅切

古文工从彡

法也从工弋聲賞職切

技也从工丂聲苦絞切

規巨也从工象手持之其呂切

巨或从木矢矢者其中正也

古文巨

文四 重三

極巧視之也从四工凡㠭之屬皆从㠭 知衍切

窒也从㠭从廾窒宀中㠭猶齊也穌則切

文二

祝也女能事無形以舞降神者也象人兩褎舞形與工同意古者巫咸初作巫凡巫之屬

皆从巫武扶切

𢒈古文巫

覡能齋肅事神明也在男曰覡在女曰巫从巫从見徐鍇曰能見神也胡狄切

文二　重一

甘美也从口含一一道也凡甘之屬皆从甘古三切

甛美也从甘从舌舌知甘者徒兼切

曆和也从甘从麻麻調也甘亦聲讀若函古三切

猒飽也从甘从肰於鹽切

猒猒或从𠯑

甚尤安樂也从甘从匹匹耦也常枕切

甚古文甚

文五　重二

曰詞也从口乙聲亦象口气出也凡曰之屬皆从曰王伐切

𠕋告也从曰从冊冊亦聲楚革切

曷何也从曰匃聲胡葛切

曶出气詞也从曰象气出形春秋傳曰鄭太子曶呼骨切

曶籀文曶一曰佩也象形

朁曾也从曰兓聲詩曰朁不畏明臣鉉等曰今俗有朁字蓋朁之譌七感切

沓語多沓沓也从水从曰遼東有沓縣臣鉉等曰語多沓沓若水之流故从水會意徒合切

曹獄之兩曹也在廷東从棘治事者从曰徐鍇曰以言詞治獄也故从曰昨牢切

文七　重一

乃曳詞之難也象气之出難凡乃之屬皆从乃奴亥切臣鉉等曰今隸書作乃

乃古文乃

乃籀文乃

卤驚聲也从乃省卤聲籀文卤不省或曰卤往也讀若仍臣鉉等曰西非聲未詳如乘切

逌古文卤

卤气行皃从乃卤聲讀若攸以周切

文三　重三

丂气欲舒出勹上礙於一也丂古文以爲亏字又以爲巧字凡丂之屬皆从丂苦浩切

甹亟詞也从丂从由或曰甹俠也三輔謂輕財者爲甹臣鉉等曰由用也任俠用气也普丁切

寧願詞也从丂寍聲奴丁切

丂反丂也讀若呵虎何切

文四

可肎也从口丂丂亦聲凡可之屬皆从可肯我切

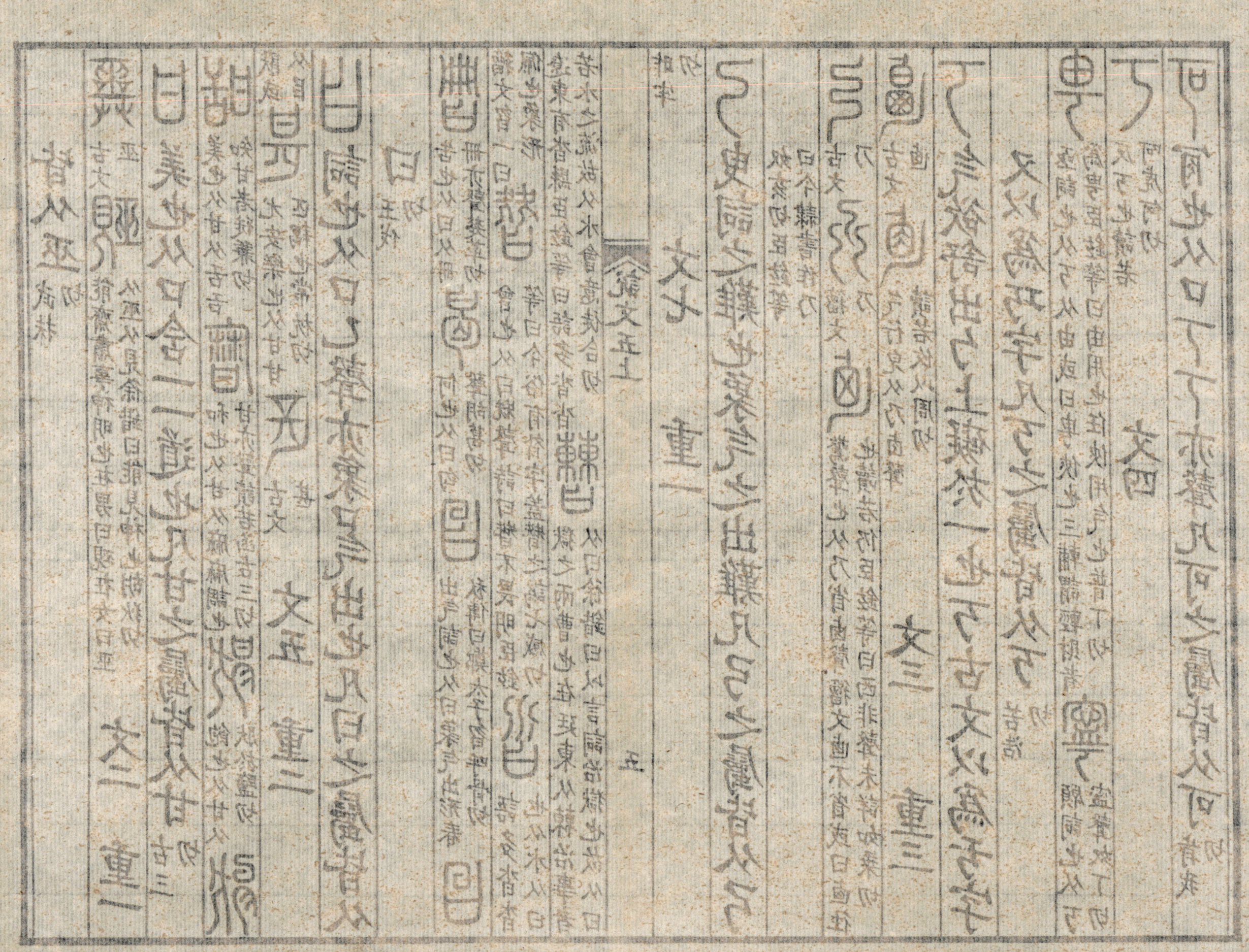

奇 異也一曰不耦从大从可渠羈切 哿 可也从可加聲詩曰哿矣富人古我切 哥 聲也从二可古文以爲謌字古俄切 文四

叵 不可也从反可普火切 文一 新附

兮 語所稽也从丂八象气越亏也凡兮之屬皆从兮胡雞切

⿱旬兮 驚辭也从兮旬聲思允切 ⿰忄⿱旬兮 ⿱旬兮或从心 羲 气也从兮義聲許羈切 乎 語之餘也从兮象聲上越揚之形也戶吳切

文四 重一

号 痛聲也从口在丂上凡号之屬皆从号胡到切

號 呼也从号从虎乎刀切 文二

亏 於也象气之舒亏从丂从一一者其气平之也凡亏之屬皆从亏羽俱切今變隸作于

虧 气損也从亏雐聲去爲切 䰎 虧或从兮 粵 亏也審慎之詞者从亏从宷周書曰粵三日丁亥王伐切 吁 驚語也从口从亏亏亦聲臣鉉等按口部有吁此重出況于切 平 語平舒也从亏从八八分也爰礼說符兵切 𠀭 古文平如此

文五 重三

旨 美也从甘匕聲凡旨之屬皆从旨職雉切

𣅀 古文旨 嘗 口味之也从旨尚聲市羊切

文二 重一

喜 樂也从壴从口凡喜之屬皆从喜虛里切

歖 古文喜从欠與歡同 憙 說也从心从喜喜亦聲許記切 嚭 大也从喜否聲春秋傳吳有太宰嚭匹鄙切

文三 重一

壴 陳樂立而上見也从屮从豆凡壴之屬皆从壴中句切

尌 立也从壴从寸持之也讀若駐常句切 鼜 夜戒守鼓也从壴蚤聲禮昏鼓四通爲大鼓夜半三通爲戒晨旦明五通爲發明讀若戚倉歷切 彭 鼓聲也从壴彡聲臣鉉等曰當从形省乃得聲薄庚切 嘉 美也从壴加聲古牙切

文五

鼓 郭也春分之音萬物郭皮甲而出故謂之鼓从壴支象其手擊之也周禮六鼓靁鼓八面靈鼓六面路鼓四面鼖鼓皋鼓晉鼓皆兩面

凡鼓之屬皆从鼓 徐鍇曰郭者覆冒之意工户切

鼓 籀文鼓从古聲 鼛 大鼓也从鼓咎聲詩曰鼛鼓不勝古勞切 鼖 大鼓謂之鼖鼖八尺而兩面以鼓軍事从鼓賁省聲符分切 ⿰革賁 鼖或从革賁不省 鼙 騎鼓也从鼓卑聲部迷切 鼕 鼓聲也从鼓隆聲徒冬切 鼝 鼓聲也从鼓淵聲詩曰鼗鼓鼝鼝烏元切 鼞 鼓聲也从鼓堂聲詩曰擊鼓其鼞土郎切 ⿱鼓合 鼓聲也从鼓合聲徒合切 鞈 古文⿱鼓合从革 ⿱鼓咠 鼓無聲也从鼓咠聲他叶切 ⿱鼓缶 鼓鼙聲从鼓缶聲土盍切

文十 重三

豈 還師振旅樂也一曰欲也登也从豆微省聲

凡豈之屬皆从豈 墟喜切

愷 康也从心豈豈亦聲苦亥切 ⿰豈幾 ⿰幾气也訖事之樂也从豈幾聲臣鉉等曰說文無⿰幾气字从幾从气義無所取當是訖字之誤 渠稀切

文三

豆 古食肉器也从口象形

凡豆之屬皆从豆 徒候切

𣅫 古文豆 梪 木豆謂之梪从木豆徒候切 𧯠 蠡也从豆蒸省聲居隱切 𧯛 豆屬从豆𢍏聲居倦切 ⿱夗豆 豆飴也从豆夗聲一丸切 ⿳肉豆廾 禮器也从廾持肉在豆上讀若鐙同都滕切

文六 重一

豊 行禮之器也从豆象形

凡豊之屬皆从豊

讀與禮同 盧啓切

豑 爵之次弟也从豊从弟虞書曰平豑東作直質切

文二

豐 豆之豐滿者也从豆象形一曰鄉飲酒有豐侯者凡豐之屬皆从豐 敷戎切

𧯍 古文豐

豔 好而長也从豐豐大也盍聲春秋傳曰美而豔 以贍切

文二 重一

䖒 古陶器也从豆虍聲凡䖒之屬皆从䖒 許羈切

䖓 土鍪也从䖒号聲讀若鎬 胡到切

䖔 器也从䖒宔宔亦聲闕 直呂切

文三

虍 虎文也象形凡虍之屬皆从虍 荒烏切 徐鍇曰象其文章屈曲也

虞 騶虞也白虎黑文尾長於身仁獸食自死之肉从虍吳聲詩曰于嗟乎騶虞 五俱切

虙 虎皃从虍必聲 房六切

虔 虎行皃从虍文聲讀若矜 臣鉉等曰文非聲未詳 渠焉切

虘 虎不柔不信也从虍且聲讀若戱縣 昨何切

虖 哮虖也从虍兮聲 荒烏切

虐 殘也从虍虎足反爪人也 魚約切

𧆛 古文虐如此

虨 虎文彪也从虍彬聲 布還切

虡 鐘鼓之柎也飾爲猛獸从虍異象其下足 其呂切

鐻 虡或从金豦聲

虡 篆文虡省

文九 重三

虎 山獸之君从虍虎足象人足象形凡虎之屬皆从虎 呼古切

𧆞 古文虎

𧇄 亦古文虎

𧇊 虎聲也从虎毄聲讀若隔 古覈切

䖘 白虎也从虎昔省聲讀若鼏 莫狄切

𧆮 䖑屬从虎去聲 臣鉉等曰去非聲未詳 呼濫切

虪 黑虎也从虎儵聲 式竹切

虦 虎竊毛謂之虦苗从虎戔聲竊淺也 昨閑切

彪 虎文也从虎彡象其文也 甫州切

𧆸 虎皃从虎乂聲 魚廢切

𧆹 虎皃从虎气聲 魚迄切

虓 虎鳴也一曰師子从虎九聲 許交切

䖑 虎聲也从虎斤聲 語斤切

虩 易履虎尾虩虩恐懼一曰蠅虎也从虎𡭴聲 許隙切

虢 虎所攫畫明文也从虎寽聲 古伯切

虒 委虎虎之有角者也从虎厂聲 息移切

𧇾 黑虎也从虎騰聲 徒登切

文十五 重二

虣 虐也急也从虎从武見周禮 薄報切

𧇭 楚人謂虎爲烏𧇭从虎兔聲 同都切

文二 新附

虤 虎怒也从二虎凡虤之屬皆从虤 五閑切

𧇹 兩虎爭聲从虤从曰讀若憖 臣鉉等曰曰口气出也 語巾切

贙 分別也从虤對爭貝讀若迴 胡畎切

文三

皿 飲食之用器也象形與豆同意凡皿之屬皆从皿讀若猛 武永切

盂 飯器也从皿亏聲 羽俱切

盌 小盂也从皿夗聲 烏管切

盛 黍稷在器中以祀者也从皿成聲 氏征切

齍 黍稷在器以祀者从皿齊聲 即夷切

𥁕 小甌也从皿有聲讀若灰一曰若賄 于救切

盧 飯器也从皿𤇾聲 洛乎切

𣪘 籀文盧

𥂁 器也从皿从缶古聲 公户切

盄 器也从皿弔聲 止遙切

盨 檳盨負戴器也从皿須聲 相庾切

盎 盆也从皿央聲 烏浪切

瓷 盎或从瓦

盆 盎也从皿分聲 步奔切

𥁰 器也从皿宁聲 直呂切

𥂎 器也从皿漻聲 古巧切

䀇 械器也从皿必聲 彌畢切

醯 酸也作醯以鬻以酒从鬻酒並省从皿皿器也 呼雞切

盉 調味也从皿禾聲 戶戈切

益 饒也从水皿皿益之意也 伊昔切

盈 滿器也从皿夃臣鉉等曰夃古乎切益多之義古者以買物多得為夃故从夃 以成切

盡 器中空也从皿㶳聲 慈忍切

盅 器虛也从皿中聲老子曰道盅而用之 直弓切

盦 覆蓋也从皿酓聲臣鉉等曰今俗別作罯非是 烏合切

𥁎 仁也从皿以食囚也官溥說 烏渾切

盥 澡手也从臼水臨皿春秋傳曰奉匜沃盥 古玩切

盪 滌器也从皿湯聲 徒朗切

文二十五　重三

盋 盋器盂屬从皿犮聲或从金从本 北末切

文一　新附

凵 凵盧飯器以柳為之象形凡凵之屬皆从凵 去魚切

笭 凵或从竹去聲

文一　重一

去 人相違也从大凵聲凡去之屬皆从去 丘據切

朅 去也从去曷聲 丘竭切

[夌去] 去也从去夌聲讀若陵 力膺切

文三

血 祭所薦牲血也从皿一象血形凡血之屬皆从血 呼決切

𧖧 血也从血亡聲春秋傳曰士刲羊亦無𧖧也 呼光切

衃 凝血也从血不聲 芳桮切

𧖱 气液也从血𦘒聲 將鄰切

𧗁 定息也从血甹省聲讀若亭 特丁切

衄 鼻出血也从血丑聲 女六切

𧗢 腫血也从血農省聲 奴冬切

膿 俗𧗢从肉農聲

𧖰 血醢也从血肬聲禮記有醓醢以牛乾脯粱籟鹽酒也 他感切

𧗿 醢也从血菹聲 側余切

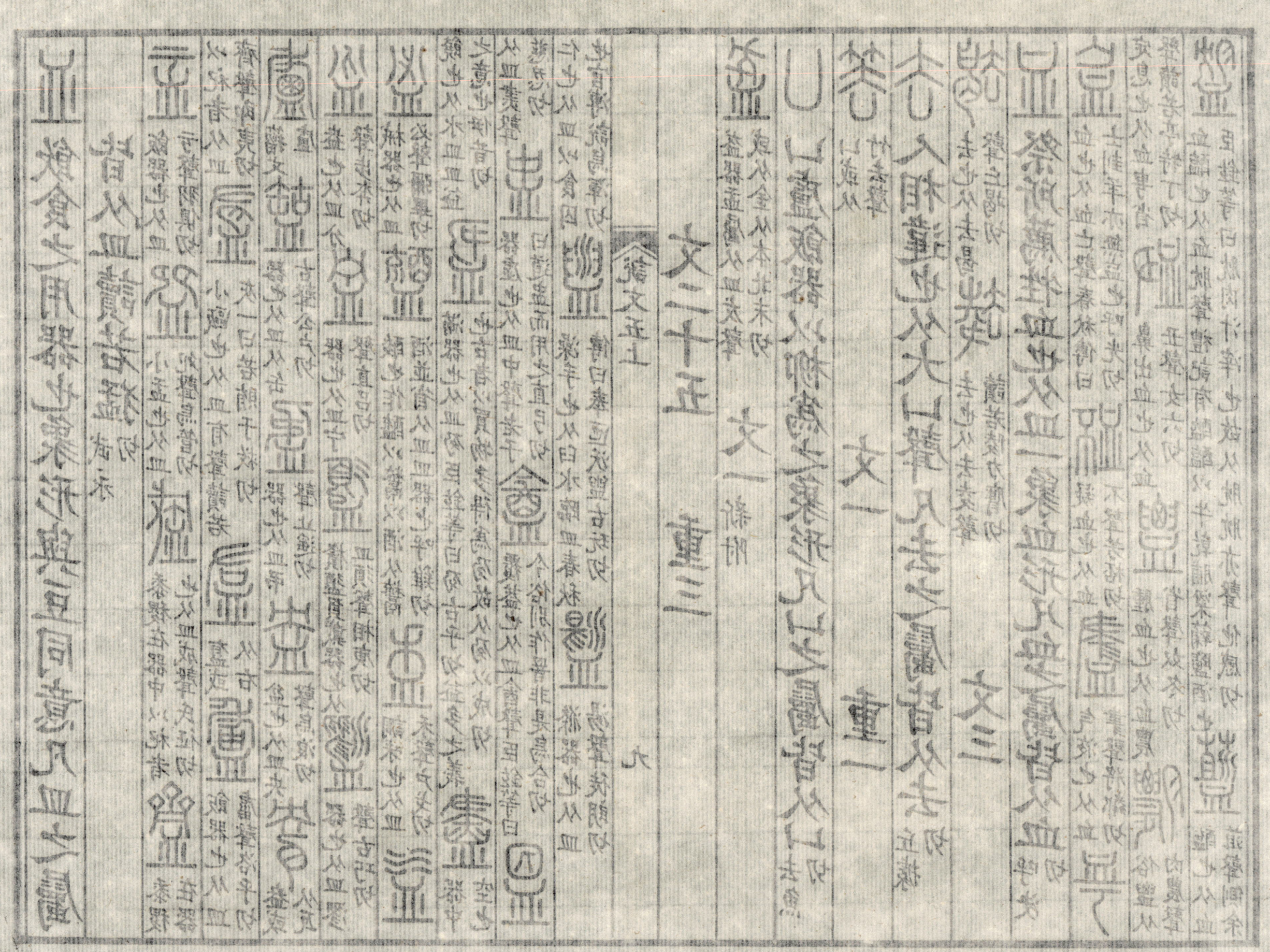

切 𧗂 𧗂或从缶 𧗃 以血有所刏涂祭也从血幾聲渠稀切 卹 憂也从血卩聲一曰鮮少也徐鍇曰血者言憂之切至也辛聿切

衋 傷痛也从血聿皕聲周書曰民罔不衋傷心許力切 衉 羊凝血也从血臽聲苦紺切 𧖱 衉或从贛 盇 覆也从血大臣鉉等曰大象蓋覆之形胡臘切 衊 污血也从血蔑聲莫結切

文十五　重三

丶 有所絕止丶而識之也凡丶之屬皆从丶知庾切

主 鐙中火主也从𡈼象形从丶丶亦聲臣鉉等曰今俗别作炷非是之庾切 咅 相與語唾而不受也从丶从否否亦聲天口切 䪽 咅或从豆从欠

文三　重一

說文解字第五上

說文解字弟五下　漢太尉祭酒許慎記

銀青光祿大夫守右散騎常侍上柱國東海縣開國子食邑五百户臣徐鉉等奉
敕校定

丹 巴越之赤石也象采丹井、象丹形凡丹之屬皆从丹 都寒切

㫄 古文丹

彬 亦古文丹

雘 善丹也从丹蒦聲周書曰惟其敷丹雘讀若隺烏郭切

彤 丹飾也从丹从彡彡其畫也徒冬切

文三　重二

青 東方色也木生火从生丹丹青之信言必然凡青之屬皆从青 倉經切

𡗗 古文青

靜 審也从青爭聲徐鍇曰丹青明審也疾郢切

文二　重一

井 八家一井象構韓形・罋之象也古者伯益初作井凡井之屬皆从井 子郢切

⿱𤇾井 深池也从井瑩省聲烏迥切

阱 陷也从𨸏从井井亦聲疾正切

穽 阱或从穴

汬 古文阱从水

𠛬 罰辠也从井从刀易曰井法也井亦聲户經切

刱 造法刱業也从井刅聲讀若創初亮切

文五　重二

皀 穀之馨香也象嘉穀在裹中之形匕所以扱之或説皀一粒也凡皀之屬皆从皀又讀若香 皮及切

即 即食也从皀卪聲徐鍇曰即就也子力切

既 小食也从皀旡聲論語曰不使勝食既居未切

冟 飯剛柔不調相著从皀冂聲讀若適施隻切

文四

鬯 以秬釀鬱艸芬芳攸服以降神也从凵凵器也中象米匕所以扱之易曰不喪匕鬯

凡鬯之屬皆从鬯 丑諒切

鬱 芳艸也十葉爲貫百廾貫築以煮之爲鬱从臼冂缶鬯彡其飾也一曰鬱鬯百艸之華遠方鬱人所貢芳艸合釀之以降神鬱今鬱林郡也迂勿切

爵 禮器也象爵之形中有鬯酒又持之也所以飲器象爵者取其鳴節節足足也即略切 [illegible] 古文爵象形

䣞 黑黍也一稃二米以釀也从鬯矩聲其呂切 秬 䣞或从禾

𩰪 列也从鬯吏聲讀若迅疏吏切

文五 重二

食 一米也从皀亼聲或說亼皀也凡食之屬皆从食 乘力切

餴 滫飯也从食𠦒聲臣鉉等曰𠦒音忽非聲疑奔字之誤府文切 饙 餴或从賁 𩝐 餴或从奔

餾 飯气蒸也从食留聲力救切

飪 大熟也从食壬聲如甚切 𩚏 古文飪 恁 亦古文飪

饔 孰食也从食雝聲於容切

飴 米櫱煎也从食台聲与之切 [illegible] 籒文飴从異省

餳 飴和饊者也从食昜聲徐盈切

饊 熬稻粻程也从食散聲穌旱切

餅 麪餈也从食并聲必郢切

餈 稻餅也从食次聲疾資切 𩝫 餈或从齊 粢 餈或从米

饘 糜也从食亶聲周謂之饘宋謂之餬諸延切

餱 乾食也从食侯聲周書曰峙乃餱粻乎溝切

餥 餱也从食非聲陳楚之閒相謁食麥飯曰餥非尾切

饎 酒食也从食喜聲詩曰可以饙饎昌志切 [illegible] 饎或从配 糦 饎或从米

籑 具食也从食算聲士戀切 饌 籑或从𢀩

養 供養也从食羊聲余兩切 𦍺 古文養

飯 食也从食反聲符萬切

𩛷 雜飯也从食丑聲女久切

飤 糧也从人食祥吏切

饡 以羹澆飯也从食贊聲則榦切

𩝡 晝食也从食象聲書兩切 [illegible] 𩝡或从傷省聲

餔 日加申時食也从食甫聲博狐切 [illegible] 籒文餔从皿浦聲

餐 吞也从食𣦼聲七安切 湌 餐或从水

[illegible] 嗛也从食兼聲讀若風溓溓一曰廉潔也力鹽切

饁 餉田也从食盍聲詩曰饁彼南畝筠輒切

饟 周人謂餉曰饟从食襄聲人漾切

餉 饟也从食向聲式亮切

饋 餉也从食貴聲求位切

饗 鄉人飲酒也从食从鄉鄉亦聲許兩切

饛 盛器滿皃从食蒙聲詩曰有饛簋飧莫紅切

飵 楚人相謁食麥曰飵从食乍聲在各切

𩛬 相謁食麥也从食占聲奴兼切

𩟍 秦人謂相謁而食麥曰𩟍䭌从食㥯聲烏困切

䭌 𩟍䭌也从食豈聲五困切

餬 寄食也从食胡聲戶吴切

飶 食之香也从食必聲詩曰有飶其香毗必切

飫 燕食也从食芺聲詩曰飲酒之飫依據切

飽 猒也从食包聲博巧切 𩜜 古文飽从采 [illegible] 亦古文飽从卯聲

[illegible] 猒也从食肙聲

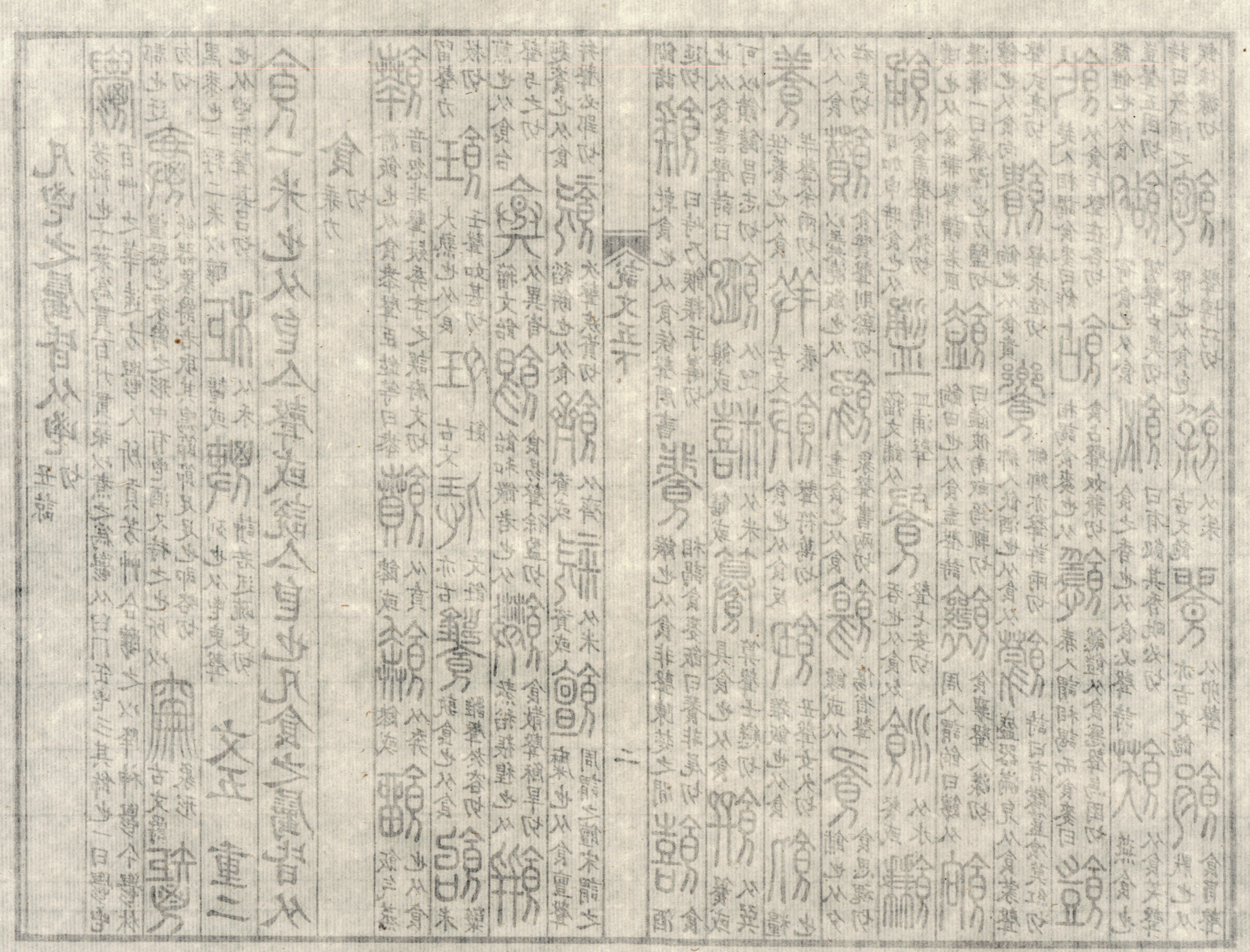

烏元切
饒 飽也从食堯聲如昭切
餘 饒也从食余聲以諸切
餀 食臭也从食艾聲爾雅曰餀謂之喙呼艾切
餞 送去也从食戔聲詩曰顯父餞之才線切
餫 野饋曰餫从食軍聲王問切
館 客舍也从食官聲周禮五十里有市市有館館有積以待朝聘之客古玩切
饕 貪也从食號聲土刀切
叨 饕或从口刀聲
⿱號食 籒文饕从號省
飻 貪也从食殄省聲春秋傳曰謂之饕飻他結切
饖 飯傷熱也从食歲聲於廢切
饐 飯傷溼也从食壹聲乙冀切
餲 飯餲也从食曷聲論語曰食饐而餲乙例切又烏介切
饑 穀不孰爲饑从食幾聲居衣切
饉 蔬不孰爲饉从食堇聲渠吝切
⿰食戹 飢也从食戹聲讀若楚人言恚人於革切
餧 飢也从食委聲一曰魚敗曰餧奴罪切
飢 餓也从食几聲居夷切
餓 飢也从食我聲五箇切
餽 吳人謂祭曰餽从食从鬼鬼亦聲俱位切又音饋
餟 祭酹也从食叕聲陟衛切
䭾 小餟也从食兌聲輸芮切
⿰食夌 馬食穀多气流四下也从食夌聲里甑切
⿰食末 食馬穀也从食末聲莫撥切

文六十二　重十八

餕 食之餘也从食夋聲子峻切
餻 餌屬从食羔聲古牢切

文二　新附

亼 三合也从入一象三合之形凡亼之屬皆从亼讀若集秦入切臣鉉等曰此疑只象形非从入一也
合 合口也从亼从口候閤切
僉 皆也从亼从吅从从虞書曰僉曰伯夷七廉切
侖 思也从亼从冊力屯切
⿱亼𠕋 籒文侖
今 是時也从亼从乁乁古文及居音切
舍 市居曰舍从亼屮象屋也口象築也始夜切

文六　重一

會 合也从亼从曾省曾益也凡會之屬皆从會黃外切
㣛 古文會如此
朇 益也从會卑聲符支切
⿱辰會 日月合宿爲辰从會从辰辰亦聲植鄰切

文三　重一

倉 穀藏也倉黃取而藏之故謂之倉从食省口象倉形凡倉之屬皆从倉七岡切
仺 奇字倉
牄 鳥獸來食聲也从倉爿聲虞書曰鳥獸牄牄七羊切

文二　重一

入 內也象从上俱下也凡入之屬皆从入人汁切
內 入也从冂自外而入也奴對切
⿱入山 入山之深也从山从入闕鉏箴切
糴 市穀也从入从糴徒歷切
仝 完也从入从工疾緣切

全 篆文仝从玉純玉曰全
𠓝 古文全
从 二入也兩从此闕良奬切

文六　重二

缶 瓦器所以盛酒漿秦人鼓之以節謌象形凡缶之屬皆从缶方九切

⿰⿱士缶殳 未燒瓦器也从缶殸聲讀若筩莩又苦候切
匋 瓦器也从缶包省聲古者昆吾作匋案史篇讀與缶同徒刀切
罌 缶也从缶賏聲烏莖切
⿰缶垂 小口罌也从缶𠂹聲池僞切
⿰缶咅 小缶也从缶咅聲蒲候切
缾 罋也从缶幷聲薄經切
瓶 缾或从瓦
罋 汲缾也从缶雝聲烏貢切
⿰缶乏 下平缶也从缶乏聲讀若㬬土盍切
罃 備火長頸缾也从缶熒省聲烏莖切
缸 瓨也从缶工聲下江切
⿰缶或 瓦器也从缶或聲于逼切
⿰缶薦 瓦器也从缶薦聲作甸切
䍃 瓦器也从缶肉聲臣鉉等曰當从䍃省乃得聲以周切
⿰缶霝 瓦器也从缶霝聲郎丁切
⿰缶占 缺也从缶占聲都念切
缺 器破也从缶決省聲傾雪切
罅 裂也从缶虖聲缶燒善裂也呼迓切
罄 器中空也从缶殸聲殸古文磬字詩云缾之罄矣苦定切
罊 器中盡也从缶毄聲苦計切
缿 受錢器也从缶后聲古以瓦今以竹大口切又胡講切

文二十一　重一

罐 器也从缶雚聲古玩切

文一　新附

矢 弓弩矢也从入象鏑栝羽之形古者夷牟初作矢凡矢之屬皆从矢式視切

䠶 弓弩發於身而中於遠也从矢从身食夜切
射 篆文䠶从寸寸法度也亦手也
矯 揉箭箝也从矢喬聲居夭切
矰 隿䠶矢也从矢曾聲作滕切
矦 春饗所䠶侯也从人从厂象張布矢在其中天子䠶熊虎豹服猛也諸侯䠶熊豕虎大夫䠶麋麋惑也士䠶鹿豕爲田除害也其祝曰毋若不寧侯不朝于王所故伉而䠶汝也乎溝切
𥎦 古文侯
𥏌 傷也从矢昜聲式陽切
短 有所長短以矢爲正从矢豆聲都管切
矤 況也詞也从矢引省聲从矢取詞之所之如矢也式忍切
知 詞也从口从矢陟离切
矣 語以詞也从矢以聲于己切

文十　重二

矮 短人也从矢委聲烏蟹切

文一　新附

高 崇也象臺觀高之形从冂口與倉舍同意

凡高之屬皆从高古牢切

㢊小堂也从高省冋聲去穎切　廎㢊或从广頃聲　亭民所安定也亭有樓从高省丁聲特丁切　亳京兆杜陵亭也从高省毛聲旁各切

文四　重一

冂邑外謂之郊郊外謂之野野外謂之林林外謂之冂象遠界也凡冂之屬皆从冂古熒切

冋古文冂从口象國邑　坰冋或从土　市買賣所之也市有垣从冂从乁乁古文及象物相及也之省聲時止切　冘淫淫行皃从人出冂余箴切　央中央也从大在冂之内大人也央旁同意一曰久也於良切　隺高至也从隹上欲出冂易曰夫乾隺然胡沃切

文五　重二

𩫏度也民所度居也从回象城𩫏之重兩亭相對也或但从口音韋凡𩫏之屬皆从𩫏古博切

𩫖缺也古者城闕其南方謂之𩫖从𩫏缺省讀若拔物爲決引也傾雪切

文二

京人所爲絕高丘也从高省丨象高形凡京之屬皆从京舉卿切

就就高也从京从尤尤異於凡也疾僦切　𡰪籒文就

文二　重一

亯獻也从高省曰象進孰物形孝經曰祭則鬼亯之凡亯之屬皆从亯許兩切又普庚切又許庚切

亯篆文亯　𦎫孰也从亯从羊讀若純一曰鬻也常倫切　𦎫篆文𦎫　䈞厚也从亯竹聲讀若篤冬毒切　𦏧用也从亯从自自知臭香所食也讀若庸余封切

文四　重二

㫗厚也从反亯凡㫗之屬皆从㫗徐鍇曰亯者進上也以進上之具反之於下則厚也胡口切

覃 長味也从㫗鹹省聲詩曰實覃實吁徒含切 𠆸 古文覃 𡏿 篆文覃省

厚 山陵之厚也从㫗从厂胡口切 垕 古文厚从后土

文三　重三

畗 滿也从高省象高厚之形凡畗之屬皆从畗讀若伏 芳逼切

文一

良 善也从畗省亡聲徐鍇曰良甚也故从畗呂張切 目 古文良 𠃍 亦古文良 𡆪 亦古文良

文一　重三

㐭 穀所振入宗廟粢盛倉黄㐭而取之故謂之㐭从入回象屋形中有戶牖凡㐭之屬皆从㐭 力甚切

廩 㐭或从广从禾

稟 賜穀也从㐭从禾筆錦切

亶 多穀也从㐭旦聲多旱切

啚 嗇也从口㐭㐭受也方美切 𡈼 古文啚如此

文四　重二

嗇 愛濇也从來从㐭來者㐭而藏之故田夫謂之嗇夫凡嗇之屬皆从嗇 所力切 𤲸 古文嗇从田

牆 垣蔽也从嗇爿聲才良切 𤗺 籒文从二禾 𤗻 籒文亦从二來

文二　重三

來 周所受瑞麥來麰一來二縫象芒朿之形天所來也故爲行來之來詩曰詒我來麰凡來之屬皆从來 洛哀切

𠅘 詩曰不𠅘不來从來矣聲 牀史切 逨 𠅘或从彳

文二　重一

麥 芒穀秋種厚薶故謂之麥麥金也金王而生火王而死从來有穗者从夊凡麥之屬皆从麥之

屬皆从麥　臣鉉等曰夊足也周受瑞麥來麰如行來故从夊　莫獲切

麰　來麰麥也从麥牟聲莫浮切

䴭　麰或从艸

麧　堅麥也从麥气聲乎沒切

䴬　小麥屑之覈从麥肖聲穌果切

䴾　䵂麥也从麥差聲一曰擣也昨何切

麩　小麥屑皮也从麥夫聲甫無切

麱　麩或从甫

麪　麥末也从麥丏聲弥箭切

𪌭　麥覈屑也十斤爲三斗从麥啻聲直隻切

麷　煑麥也从麥豐聲讀若馮敷戎切

麮　麥甘鬻也从麥去聲邱據切

𪎊　餅籟也从麥㱿聲讀若庫空谷切

𪌉　餅籟也从麥穴聲戶八切

䴭　餅籟也从麥才聲昨哉切

文十三　重二

夊　行遲曳夊夊象人兩脛有所躧也凡夊之屬皆从夊　楚危切

夋　行夋夋也一曰倨也从夊允聲七倫切

复　行故道也从夊畐省聲房六切

夌　越也从夊从兴兴高也一曰夌徲也力膺切

致　送詣也从夊从至陟利切

憂　和之行也从夊㥑聲詩曰布政憂憂於求切

愛　行皃从夊㤅聲烏代切

𡕒　行𡕒𡕒也从夊闕讀若僕又卜切

竷　繇也舞也樂有章从章从夅从夊詩曰竷竷舞我苦感切

𡕝　𢾺蓋也象皮包覆𢾺下有兩臂而夊在下讀若范亡范切

夏　中國之人也从夊从頁从臼臼兩手夊兩足也胡雅切

𩓖　古文夏

畟　治稼畟畟進也从田人从夊詩曰畟畟良耜初力切

㚇　斂足也鵲鵙醜其飛也㚇从夊兇聲子紅切

夒　貪獸也一曰母猴似人从頁巳止夊其手足臣鉉等曰巳止皆象形也奴刀切

夔　神魖也如龍一足从夊象有角手人面之形渠追切

文十五　重一

夎　拜失容也从夊坐聲則卧切

文一　新附

舛　對卧也从夊㐄相背凡舛之屬皆从舛　昌兗切

舞　樂也用足相背从舛無聲文撫切

𦏶　古文舞从羽亡

舝　車軸耑鍵也兩穿相背从舛萬省聲萬古文偰字胡戛切

文三　重二

舜　艸也楚謂之葍秦謂之藑蔓地連華象形从舛舛亦聲凡舜之屬皆从舜　舒閏切今隸變作舜

𡿭　古文舜

䑞　華榮也从舜生聲讀若皇爾雅曰䑞華也戶光切

葟　䑞或从艸皇

《說文卷下》

韋　相背也从舛口聲獸皮之韋可以束枉戾相韋背故借以爲皮韋凡韋之屬皆从韋　宇非切

韋　古文韋

韠　韍也所以蔽前以韋下廣二尺上廣一尺其頸五寸一命緼韠再命赤韠从韋畢聲卑吉切

韎　茅蒐染韋也一入曰韎从韋末聲莫佩切

韢　櫜紐也从韋惠聲一曰盛虜頭櫜也徐鍇曰謂戰伐以盛首級胡計切

韜　劒衣也从韋舀聲土刀切

韝　射臂決也从韋冓聲古侯切

韘　射決也所以拘弦以象骨韋系著右巨指从韋枼聲詩曰童子佩韘失涉切

弽　韘或从弓

韣　弓衣也从韋蜀聲之欲切

韔　弓衣也从韋長聲詩曰交韔二弓丑亮切

⿰韋叚　履也从韋叚聲乎加切

⿰韋段　履後帖也从韋段聲徒玩切

緞　⿰韋段或从糸

韤　足衣也从韋蔑聲臣鉉等曰今俗作韈非是望發切

⿰韋尃　軶裹也从韋尃聲匹各切

韏　革中辨謂之韏从韋𢍏聲九萬切

⿰韋糕　收束也从韋糕聲讀若酋臣鉉等曰糕側角切聲不相近未詳即由切

⿰韋要　⿰韋糕或从要

揫　⿰韋糕或从秋手

韓　井垣也从韋取其帀也倝聲胡安切

文十六　重五

韌　柔而固也从韋刃聲而進切

文一　新附

弟　韋束之次弟也从古字之象凡弟之屬皆从弟　特計切

弟　古文弟从古文韋省丿聲

罤　周人謂兄曰罤从弟从眔臣鉉等曰眔目相及也兄弟親比之義古䰟切

文二　重一

夂　从後至也象人兩脛後有致之者凡夂之屬皆从夂讀若黹　陟侈切

⿱夂丰　相遮要害也从夂丰聲南陽新野有⿱夂丰亭乎蓋切

夆　啎也从夂丰聲讀若縫敷容切

夅　服也从夂㐄相承不敢竝也下江切

夃　秦以市買多得爲夃从乃从夂益至也从乃詩曰我夃酌彼金罍臣鉉等曰乃難意也古乎切

㐄　跨步也从反夂𢀞从此苦瓦切

文六

文六

文二　重一

文二

文十六　重四

八

文二　重二

夊　从後灸之象人兩脛後有距也周禮曰夊諸牆以觀其橈凡夊之屬皆从夊舉友切

文一

桀　磔也从舛在木上也凡桀之屬皆从桀渠列切

磔　辜也从桀石聲陟格切

乘　覆也从入桀桀黠也軍法曰乘食陵切

[古文乘]　古文乘从几

文三　重一

說文解字弟五下

說文解字弟六上　漢太尉祭酒許氏記

銀青光禄大夫守右散騎常侍上柱國東海縣開國子食邑五百户臣徐鉉等奉

敕校定

二十五部　文七百五十三　重六十一

凡九千四百四十三字　文二十一新附

木 冒也冒地而生東方之行从屮下象其根

凡木之屬皆从木　徐鍇曰中者木始甲坼萬物皆始於微故木从屮莫卜切

橘 果出江南从木矞聲居聿切　橙 橘屬从木登聲丈庚切　柚 條也似橙而酢从木由聲夏書曰厥包橘柚余救切

樝 果似棃而酢从木虘聲側加切　棃 果名从木𥝢聲𥝢古文利力脂切　梬 棗也似柹从木甹聲以整切

柹 赤實果从木𠂔聲鉏里切　枏 梅也从木冄聲汝閻切　梅 枏也可食从木每聲莫桮切　楳 或从某

杏 果也从木可省聲何梗切　柰 果也从木示聲奴帶切　李 果也从木子聲良止切　杍 古文　桃 果也从木兆聲徒刀切

楙 冬桃从木敄聲讀若髦莫候切　亲 果實如小栗从木辛聲春秋傳曰女摯不過亲栗側詵切　楷 木也孔子冢蓋樹之者从木皆聲苦駭切

梫 桂也从木侵省聲七荏切　桂 江南木百藥之長从木圭聲古惠切　棠 牡曰棠牝曰杜从木尚聲徒郎切

杜 甘棠也从木土聲徒古切　槢 木也从木習聲似入切　樿 木也可以爲櫛从木單聲旨善切

椲 木也可屈爲杅者从木韋聲于鬼切　楢 柔木也工官以爲耎輪从木酋聲讀若糗以周切　桏 椐木也从木邛聲渠容切

棆 毋杶也从木侖聲讀若易卦屯陟倫切　楈 木也从木胥聲讀若芟刈之芟私閭切　柍 梅也从木央聲一曰江南橦材其實謂之柍於京切

楑 木也从木癸聲又度也求癸切　⿰木咎 木也从木咎聲讀若皓古老切

椆 木也从木周聲讀若丩職留切　樕 樸樕木从木敕聲桑屋切　⿰木彝 木也从木彝聲羊支切　梣 青皮木从木岑聲子林切

⿰木㝑 或从㝑㝑省　棳 木也从木叕聲益州有叕縣職說切　⿰木號 木也从木號省聲乎八切

棪 遬其也从木炎聲讀若三年導服之導以冄切　⿰木遄 木也从木遄聲市緣切　椋 即來也从木京聲呂張切

檍 杶也从木意聲於力切
⿰木費 木也从木費聲房未切
樗 木也从木虖聲丑居切
楀 木也从木禹聲王矩切
蘽 木也从木藟聲力軌切 櫐 籀文
桋 赤桋也从木夷聲詩曰隰有杞桋以脂切
栟 栟櫚也从木幷聲府盈切
椶 栟櫚也可作萆从木㚇聲子紅切
檟 楸也从木賈聲春秋傳曰樹六檟於蒲圃古雅切
椅 梓也从木奇聲於離切
梓 楸也从木宰省聲即里切 榟 梓或不省
楸 梓也从木秋聲七由切
⿰木啻 梓屬大者可爲棺椁小者可爲弓材从木啻聲於力切
柀 檆也从木皮聲一曰折也甫委切
檆 木也从木煔聲臣鉉等曰今俗作杉非是所銜切
榛 木也从木秦聲一曰菆也側詵切
栲 山樗也从木尻聲苦浩切
杶 木也从木屯聲夏書曰杶榦栝柏敕倫切 櫄 或从熏 杻 古文杶
橁 杶也从木筍聲相倫切
桵 白桵棫从木妥聲臣鉉等曰當从綏省儒佳切
棫 白桵也从木或聲于逼切
⿰木息 木也从木息聲相即切
椐 樻也从木居聲九魚切
樻 椐也从木貴聲求位切
栩 柔也从木羽聲其皁一曰樣況羽切
⿱予木 栩也从木予聲讀若杼直呂切
樣 栩實从木羕聲徐兩切
杙 劉劉杙从木弋聲與職切
枇 枇杷木也从木比聲房脂切
桔 桔梗藥名从木吉聲一曰直木古屑切

柞 木也从木乍聲在各切
⿰木乎 木出橐山从木乎聲他乎切
榗 木也从木晉聲書曰竹箭如榗子善切
檖 羅也从木豙聲詩曰隰有樹檖徐醉切
椵 木可作牀几从木叚聲讀若賈古雅切
橞 木也从木惠聲胡計切
楛 木也从木苦聲詩曰榛楛濟濟侯古切
櫅 木也可以爲大車軸从木齊聲祖雞切
⿰木乃 木也从木乃聲讀若仍如乘切
櫇 木也从木頻聲符眞切
樲 酸棗也从木貳聲而至切
樸 棗也从木僕聲博木切
橪 酸小棗从木然聲一曰染也人善切
柅 木也實如棃从木尼聲女履切
梢 木也从木肖聲所交切
⿰木隸 木也从木隸聲郎計切
⿰木寽 木也从木寽聲力輟切
梭 木也从木夋聲臣鉉等曰今人別音穌禾切以爲機杼之屬私閏切
⿰木畢 木也从木畢聲卑吉切
楋 木也从木剌聲盧達切
枸 木也可爲醬出蜀从木句聲俱羽切
樜 木出發鳩山从木庶聲之夜切
枋 木可作車从木方聲府良切
橿 枋也从木畺聲一曰鉏柄名居良切
⿰木雩 木也以其皮裹松脂从木雩聲讀若華乎化切 檴 或从蒦
檗 黃木也从木辟聲博戹切
梤 香木也从木券聲撫文切
榝 似茱萸出淮南从木殺聲所八切
槭 木可作大車輮从木戚聲子六切
楊 木也从木昜聲与章切

檉 河柳也从木聖聲敕貞切
柳 小楊也从木丣聲丣古文酉力九切
⿰木粤 大木可爲鉏柄从木粤聲詳遵切
欒 木似欄从木䜌聲禮天子樹松諸侯柏大夫欒士楊洛官切
栘 棠棣也从木多聲弋支切
棣 白棣也从木隶聲特計切
枳 木似橘从木只聲諸氏切
楓 木也厚葉弱枝善搖一名欇从木風聲方戎切
權 黃華木从木雚聲一曰反常巨員切
柜 木也从木巨聲其呂切
槐 木也从木鬼聲戶恢切
穀 楮也从木㱿聲古祿切
楮 穀也从木者聲丑呂切
杼 楮或从宁
檵 枸杞也从木繼省聲一曰監木也古詣切
杞 枸杞也从木己聲墟里切
枒 木也从木牙聲一曰車輞會也五加切
檀 木也从木亶聲徒乾切
櫟 木也从木樂聲郎擊切
梂 櫟實一曰鑿首从木求聲巨鳩切
楝 木也从木柬聲郎電切
檿 山桑也从木厭聲詩曰其檿其柘於琰切
柘 桑也从木石聲之夜切
⿰木厀 木可爲杖从木厀聲親吉切
檈 檈味稔棗从木還聲似沿切
梧 梧桐木从木吾聲一名櫬五胡切
榮 桐木也从木熒省聲一曰屋梠之兩頭起者爲榮永兵切
桐 榮也从木同聲徒紅切
橎 木也从木番聲讀若樊附轅切
榆 榆白枌从木俞聲羊朱切
枌 榆也从木分聲扶分切
梗 山枌榆有朿莢可爲蕪荑者从木更聲古杏切

樵 散也从木焦聲昨焦切
松 木也从木公聲祥容切
㮤 松或从容
樠 松心木从木㒼聲莫奔切
檜 柏葉松身从木會聲古外切
樅 松葉柏身从木從聲七恭切
柏 鞠也从木白聲博陌切
机 木也从木几聲居履切
枯 木也从木占聲息廉切
梇 木也从木弄聲益州有梇棟縣盧貢切
楰 鼠梓木从木臾聲詩曰北山有楰羊朱切
桅 黃木可染者从木危聲過委切
杒 桎杒也从木刃聲而震切
⿰木遝 榙⿰木遝木也从木遝聲徒合切
榙 榙⿰木遝果似李从木荅聲讀若嚃土合切
某 酸果也从木从甘闕莫厚切
槑 古文某从口
櫾 崐崘河隅之長木也从木繇聲以周切
樹 生植之總名从木尌聲常句切
樹 籒文
本 木下曰本从木一在其下徐鍇曰一記其處也本末朱皆同義布忖切
㮺 古文
柢 木根也从木氐聲都礼切
朱 赤心木松柏屬从木一在其中章俱切
根 木株也从木艮聲古痕切
株 木根也从木朱聲陟輸切
末 木上曰末从木一在其上莫撥切
⿰木畟 細理木也从木畟聲子力切
果 木實也从木象果形在木之上古火切
樏 木實也从木絫聲力追切
杈 枝也从木叉聲初牙切
枝 木別生條也从木支聲章移切
朴 木皮也从木卜聲匹角切
條 小枝也从木攸聲徒

遼切

枚 榦也可爲杖从木从支詩曰施于條枚莫桮切

栞 槎識也从木𢦏闕夏書曰隨山栞木讀若刊苦寒切

栞 篆文从幵

欇 木葉搖白也从木聶聲之涉切

栠 弱皃从木任聲如甚切

枖 木少盛皃从木夭聲詩曰桃之枖枖於喬切

槇 木頂也从木眞聲一曰仆木也都年切

梃 一枚也从木廷聲徒頂切

⿱驫木 衆盛也从木驫聲逸周書曰疑沮事闕所臻切

標 木杪末也从木㶾聲敷沼切

杪 木標末也从木少聲亡沼切

朵 樹木垂朵朵也从木象形此與采同意丁果切

桹 高木也从木良聲魯當切

橺 大木皃从木閒聲古限切

枵 木根也从木号聲春秋傳曰歲在玄枵玄枵虛也許嬌切

柖 樹搖皃从木召聲止搖切

榣 樹動也从木䍃聲余昭切

樛 下句曰樛从木翏聲吉虯切

朻 高木也从木丩聲吉虯切

枉 衺曲也从木㞷聲迂往切

橈 曲木从木堯聲女教切

枎 扶疏四布也从木夫聲防無切

檹 木檹施从木旖聲賈侍中說檹即椅木可作琴於离切

⿰木小 相高也从木小聲私兆切

⿰木曶 高皃从木曶聲呼骨切

槮 木長皃从木參聲詩曰槮差荇菜所今切

梴 長木也从木延聲詩曰松桷有梴丑連切

橚 長木皃从木肅聲山巧切

杕 樹皃从木大聲詩曰有杕之杜特計切

⿱㒵木 木葉陊也从木㒵聲讀若薄他各切

格 木長皃从木各聲古百切

槸 木相摩也从木埶聲魚祭切

⿰木蓺 槸或从艸

枯 槀也从木古聲夏書曰唯箘輅枯木名也苦孤切

槀 木枯也从木高聲苦浩切

樸 木素也从木菐聲匹角切

楨 剛木也从木貞聲上郡有楨林縣陟盈切

柔 木曲直也从木矛聲耳由切

㯷 判也从木㡿聲易曰重門擊㯷他各切

朸 木之理也从木力聲平原有朸縣盧則切

材 木梃也从木才聲昨哉切

柴 小木散材从木此聲臣鉉等曰師行野次豎散木爲區落名曰柴籬後人語譌轉入去聲又別作寨字非是士佳切

榑 榑桑神木日所出也从木尃聲防無切

杲 明也从日在木上古老切

杳 冥也从日在木下烏皎切

⿰木卻 角械也从木郤聲一曰木下白也其逆切

栽 築牆長版也从木𢦔聲春秋傳曰楚圍蔡里而栽昨代切

築 擣也从木筑聲陟玉切

𥳑 古文

榦 築牆耑木也从木倝聲臣鉉等曰今別作幹非是矢榦亦同古案切

檥 榦也从木義聲魚羈切

構 蓋也从木冓聲杜林以爲椽桷字古后切

模 法也从木莫聲讀若嫫母之嫫莫胡切

桴 棟名从木孚聲附柔切

棟 極也从木東聲多貢切

極 棟也从木亟聲渠力切

柱 楹也从木主聲直主切

楹 柱也从木盈聲春秋傳曰丹桓宮楹以成切

樘 衺柱也从木堂聲臣鉉等曰今俗別作撐非是丑庚切

榰 柱砥古用木今以石

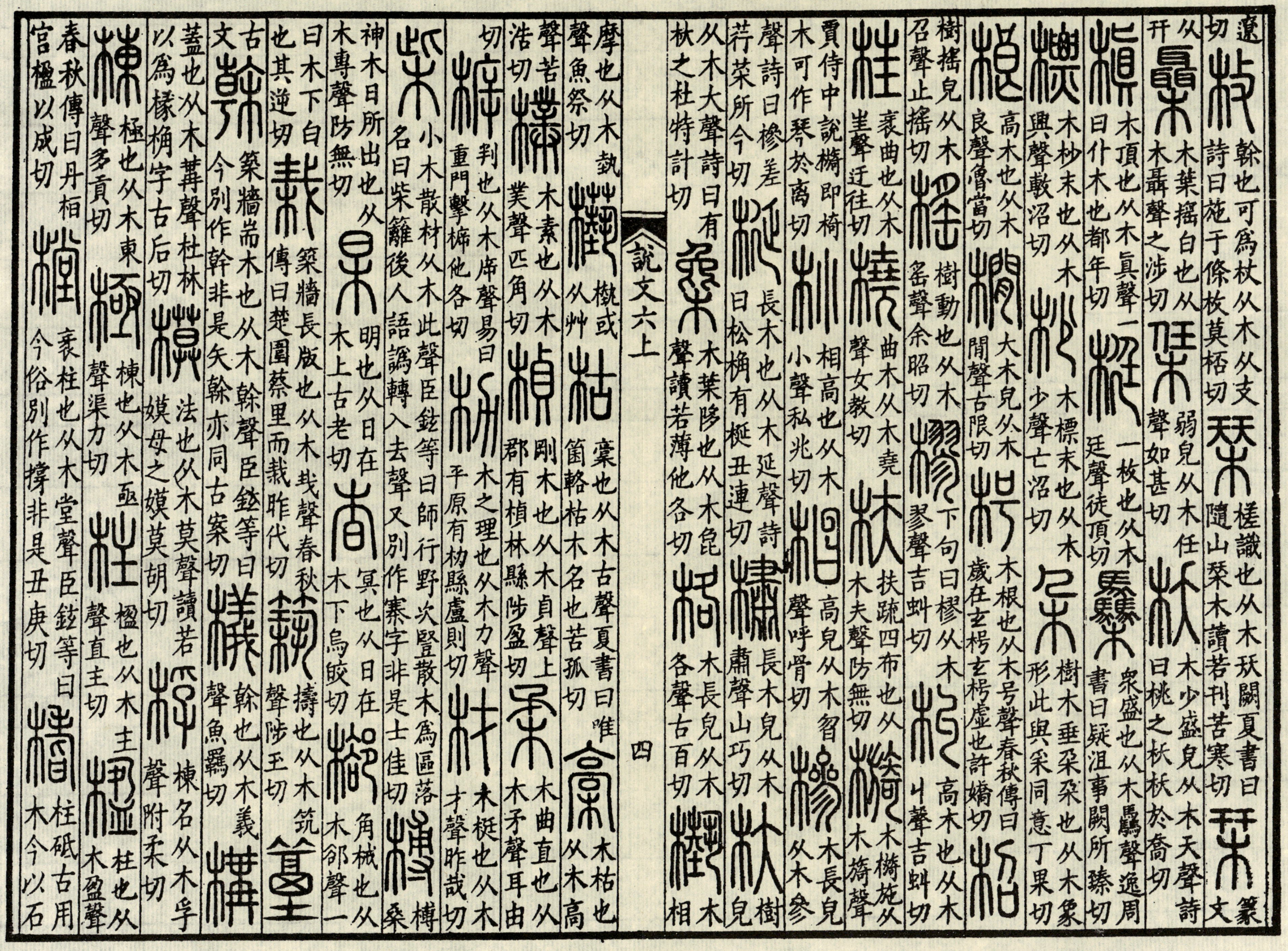

从木耆聲易榰恒凶章移切 楶 欂櫨也从木咨聲子結切 欂 壁柱从木薄省聲弼戟切 櫨 柱上柎也从木
盧聲伊尹曰果之美者箕山之東青鳧之所有櫨橘焉夏孰也一曰宅櫨木出宏農山也落胡切 枅 屋櫨也从木幵聲古兮切
栵 栭也从木列聲詩曰其灌其栵良辥切 栭 屋枅上標也从木而聲爾雅曰栭謂之楶如之切 檼 棼也从木㥯聲
於靳切 橑 椽也从木尞聲盧浩切 桷 榱也椽方曰桷从木角聲春秋傳曰刻桓宮之桷古岳切 椽 榱也
从木彖聲直專切 榱 秦名爲屋椽周謂之榱齊魯謂之桷从木衰聲所追切 楣 秦名屋櫋聯也齊謂之檐楚謂之梠
从木眉聲武悲切 梠 楣也从木呂聲力舉切 㮰 梠也从木𣬈聲讀若枇杷之枇房脂切 櫋 屋櫋聯也从木邊省
聲武延切 檐 㮰也从木詹聲臣鉉等曰今俗作簷非是余廉切 橝 屋梠前也从木覃聲一曰蠶槌徒含切 樀
戶樀也从木啻聲爾雅曰檐謂之樀讀若滴都歷切 植 戶植也从木直聲常職切 ⿰木置 或从置 樞 戶樞也从木區聲昌
朱切 槏 戶也从木兼聲苦減切 樓 重屋也从木婁聲洛侯切 櫳 房室之疏也从木龍聲盧紅切 楯 闌檻
也从木盾聲食允切 櫺 楯閒子也从木霝聲郎丁切 杗 棟也从木亡聲爾雅曰杗廇謂之梁武方切 棟 短椽也从

木東聲丑錄切 杇 所以涂也秦謂之杇關東謂之槾从木亏聲哀都切 槾 杇也从木曼聲母官切 椳 門樞謂之椳从
木畏聲烏恢切 ⿰木冒 門樞之橫梁从木冒聲莫報切 梱 門橛也从木困聲苦本切 榍 限也从木屑聲先結切 柤
木閑从木且聲側加切 槍 歫也从木倉聲一曰槍欀也七羊切 楗 限門也从木建聲其獻切 櫼 楔也从木韱聲子廉切
楔 櫼也从木契聲先結切 柵 編樹木也从木从冊冊亦聲楚革切 杝 落也从木也聲讀若他池尒切 欜 夜行
所擊者从木橐聲易曰重門擊欜他各切 桓 亭郵表也从木亘聲胡官切 楃 木帳也从木屋聲於角切 橦 帳柱也从
木童聲宅江切 杠 牀前橫木也从木工聲古雙切 桯 牀前几从木呈聲他丁切 桱 桱桯也東方謂之簜从木巠聲
古零切 牀 安身之坐者从木爿聲徐鍇曰左傳薳子馮詐病掘地下冰而牀焉至於恭坐則席也故从爿爿則爿之省
象人衺身有所倚箸至於牆壯戕狀之屬並當从牀省聲李陽冰言木右爲片左爲爿音牆且說文無爿字其書亦異故知其妄仕莊切
枕 卧所薦首者从木冘聲章衽切 槭 槭窬褻器也从木威聲於非切 櫝 匱也从木賣聲一曰木名又曰大梡也徒
谷切 櫛 梳比之總名也从木節聲阻瑟切 梳 理髮也从木疏省聲所菹切 ⿰木合 劒柙也从木合聲胡甲切 槈

槈薅器也从木辱聲奴豆切
鎒或从金
𣛧𣏕臿也从木入象形䀠聲舉朱切
𣏕兩刃臿也从木丫象形宋魏曰𣏕也互瓜切
釫或从金从于
㭒臿也从木㠯聲一曰徙土輂齊人語也臣鉉等曰今俗作耜詳里切
梩或从里
枱耒耑也从木台聲弋之切
鈶或从金
辝籀文从辝
楎六叉犂一曰犂上曲木犂轅从木軍聲讀若渾天之渾戶昆切
櫌摩田器从木憂聲論語曰櫌而不輟於求切
欘斫也齊謂之鎡錤一曰斤柄性自曲者从木屬聲陟玉切
櫡斫謂之櫡从木箸聲張略切
杷收麥器从木巴聲蒲巴切
椴穜樓也一曰燒麥柃椴从木役聲与辟切
柃木也从木令聲郎丁切
柫擊禾連枷也从木弗聲敷勿切
枷柫也从木加聲淮南謂之柍古牙切
杵舂杵也从木午聲昌與切
槩杚斗斛从木既聲工代切
杚平也从木气聲古沒切
⿰木省木參交以枝炊籅者也从木省聲讀若驪駕臣鉉等曰驪駕未詳所綆切
柶禮有柶柶匕也从木四聲息利切
桮匫也从木否聲布回切
⿷匚否籀文桮
槃承槃也从木般聲薄官切
鎜古文从金
盤籀文从皿
榹槃也从木虒聲息移切
案几屬从木安聲烏旰切
檈圜案也从木瞏聲似沿切
椷篋也从木咸聲古咸切
枓勺也从木从斗之庾切
杓枓柄也从木从勺臣鉉等曰今俗作市若切以爲桮杓之杓甫搖切
櫑龜目酒尊刻木作雲雷象象施不窮也从木畾聲魯回切
罍櫑或从缶
⿱畾皿櫑或从皿
⿱畾回籀文櫑
椑圜榼也从木卑聲部迷切
榼酒器也从木盍聲枯榻切
橢車笭中橢橢器也从木隋聲徒果切
槌關東謂之槌關西謂之持从木追聲直類切
持槌也从木特省聲陟革切
栚槌之橫者也關西謂之㯰从木灷聲臣鉉等曰當从朕省直衽切
槤瑚槤也从木連聲臣鉉等曰今俗作璉非是里典切
櫎所以几器从木廣聲一曰帷屏風之屬臣鉉等曰今別作幌非是胡廣切
椇舉食者从木具聲俱燭切
檕繘耑木也从木毄聲古詣切
檷絡絲檷从木爾聲讀若柅奴礼切
機主發謂之機从木幾聲居衣切
縢機持經者从木朕聲詩證切
杼機之持緯者从木予聲直呂切
椱機持繒者从木复聲扶富切
楥履法也从木爰聲讀若指撝吁券切
核蠻夷以木皮爲篋狀如籢尊从木亥聲古哀切
棚棧也从木朋聲薄衡切
棧棚也竹木之車曰棧从木戔聲士限切
栫以柴木壅也从木存聲徂悶切
槶筐當也从木國聲古悔切
梯木階也从木弟聲土雞切
棖杖也从木長聲一曰法也宅耕切
桊牛鼻中環也从木𢍏聲居倦切
椯箠也从木耑聲一曰椯度也一曰剟也兜果切
橜弋也从木厥聲

一曰門梱也瞿月切
樴　弋也从木戠聲之弋切
杖　持也从木丈聲臣鉉等曰今俗別作仗非是直兩切
柭　棓也从木犮聲北末切
棓　棁也从木咅聲步項切
椎　擊也齊謂之終葵从木隹聲直追切
柯　斧柄也从木可聲古俄切
梲　木杖也从木兌聲他活切又之說切
柄　柯也从木丙聲陂病切
棅　或从秉
柲　欑也从木必聲兵媚切
欑　積竹杖也从木贊聲一曰穿也一曰叢木在丸切
杘　籆柄也从木尸聲女履切
柅　杘或从木尼聲臣鉉等曰柅女氏切木若棃此重出
榜　所以輔弓弩从木旁聲補盲切臣鉉等案李舟切韻一音北孟切進船也又音北朗切木片也今俗作牓非
檠　榜也从木敬聲巨京切
檃　栝也从木隱省聲於謹切
栝　檃也从木𠯑聲一曰矢栝築弦處古活切
棊　博棊从木其聲渠之切
椄　續木也从木妾聲子葉切
栙　栙雙也从木夅聲讀若鴻下江切
㮇　炊竈木从木舌聲臣鉉等曰當从甛省乃得聲他念切
槽　畜獸之食器从木曹聲昨牢切
臬　射準的也从木从自李陽冰曰自非聲从劓省五結切
桶　木方受六升从木甬聲他奉切
櫓　大盾也从木魯聲郎古切
樐　或从鹵
樂　五聲八音總名象鼓鞞木虡也五角切
柎　闌足也从木付聲甫無切
枹　擊鼓杖也从木包聲甫無切
椌　柷樂也从木空聲苦江切
柷　樂木空也所以止音爲節从木祝省聲昌六切
槧　牘樸也从木斬聲自琰切
札　牒也从木乙聲側八切
檢　書署也从木僉聲居奄切
檄　二尺書从木敫聲胡狄切
棨　傳信也从木啓省聲康禮切
楘　車歷錄束文也从木敄聲詩曰五楘梁輈莫卜切
枑　行馬也从木互聲周禮曰設梐枑再重胡誤切
梐　梐枑也从木陛省聲邊兮切
极　驢上負也从木及聲或讀若急其輒切
𣏾　极也从木去聲去魚切
槅　大車枙从木鬲聲古覈切
橾　車轂中空也从木喿聲讀若藪山樞切
楇　盛膏器从木咼聲讀若過乎臥切
枊　馬柱从木卬聲一曰堅也吾浪切
棝　棝斗可射鼠从木固聲古慕切
欙　山行所乘者从木纍聲虞書曰予乘四載水行乘舟陸行乘車山行乘欙澤行乘䡅力追切
榷　水上橫木所以渡者也从木隺聲江岳切
橋　水梁也从木喬聲巨驕切
梁　水橋也从木从水刅聲呂張切
𣹕　古文
㮴　船總名从木叜聲臣鉉等曰今俗別作艘非是穌遭切
橃　海中大船从木發聲臣鉉等曰今俗別作筏非是房越切
楫　舟櫂也从木咠聲子葉切
欚　江中大船名从木蠡聲盧啓切
校　木囚也从木交聲古孝切
樔　澤中守艸樓从木巢聲鉏交切
采　捋取也从木从爪倉宰切
柿　削木札樸也从木巿聲陳楚謂櫝爲柿芳吠切
横　闌木也从

木黄聲户盲切
梜 檢柙也从木夾聲古洽切
桄 充也从木光聲古曠切
檇 以木有所擣也从木雋聲春秋傳曰越敗吴於檇李遵爲切
椓 擊也从木豖聲竹角切
朾 橦也从木丁聲宅耕切
柧 棱也从木瓜聲又柧棱殿堂上最高之處也古胡切
棱 柧也从木夌聲魯登切
欁 伐木餘也从木獻聲商書曰若顛木之有甹欁五葛切
櫱 欁或从木辥聲
不 古文欁从木無頭
枿 亦古文欁
枰 平也从木从平平亦聲蒲兵切
柆 折木也从木立聲盧合切
槎 衺斫也从木差聲春秋傳曰山不槎側下切
柮 斷也从木出聲讀若爾雅貀無前足之貀女滑切
檮 斷木也从木𠷎聲春秋傳曰檮柮徒刀切
析 破木也一曰折也从木从斤先激切
棷 木薪也从木取聲側鳩切
梡 㮓木薪也从木完聲胡本切
㮓 梡木未析也从木圂聲胡昆切
楄 楄部方木也从木扁聲春秋傳曰楄部薦榦部田切
楅 以木有所逼束也从木畐聲詩曰夏而楅衡彼即切
枼 楄也枼薄也从木世聲臣鉉等曰當从卉乃得聲卉穌合切与涉切
槱 積火燎之也从木从火酉聲詩曰薪之槱之周禮以槱燎祠司中司命余救切
禉 柴祭天神或从示
休 息止也从人依木許九切
庥 休或从广
𣜬 竟也从木恒聲古鄧切
亙 古文𣜬
械 桎梏也从木戒聲一曰器之總名一曰持也一曰有盛爲械無盛爲器胡戒切
杽 械也从木从手手亦聲敕九切
桎 足械也从木至聲之日切
梏 手械也从木告聲古沃切
櫪 櫪撕椑指也从木歷聲郎擊切
撕 櫪撕也从木斯聲先稽切
檻 櫳也从木監聲一曰圈胡黯切
櫳 檻也从木龍聲盧紅切
柙 檻也以藏虎兕从木甲聲烏匣切
㔹 古文柙
棺 關也所以掩尸从木官聲古丸切
櫬 棺也从木親聲春秋傳曰士輿櫬初僅切
槥 棺櫝也从木彗聲祥歲切
椁 葬有木享也从木享聲古博切
楬 楬櫫也从木曷聲春秋傳曰楬而書之其謁切
梟 不孝鳥也日至捕梟磔之从鳥頭在木上古堯切
棐 輔也从木非聲敷尾切

文四百二十二　重三十九

梔 木實可染从木卮聲章移切
榭 臺有屋也从木䠶聲詞夜切
槊 矛也从木朔聲所角切
椸 衣架也从木施聲以支切
榻 牀也从木𦐇聲土盍切
櫍 柎也从木質聲之日切
櫂 所以進船也从木翟聲或从卓史記通用濯直教切
槔 桔槔汲水器也从木皋聲古牢切
椿 橛杙也从木舂聲啄江切
櫻 果也从木嬰聲烏莖切
栜 梜也从木策省聲所厄切

文十二　新附

東 動也从木官溥說从日在木中凡東之屬皆从東 得紅切

棘 二東曹从此闕

文二

林 平土有叢木曰林从二木凡林之屬皆从林 力尋切

無 豐也从林𣞤或說規模字从大卌數之積也林者木之多也卌與庶同意商書曰庶草繁無徐鍇曰或說大卌爲規模之模諸部無者不審信也文甫切

鬱 木叢生者从林鬱省聲迂弗切

楚 叢木一名荆也从林疋聲創舉切

棽 木枝條棽儷皃从林今聲丑林切

楙 木盛也从林矛聲莫候切

麓 守山林吏也从林鹿聲一曰林屬於山爲麓春秋傳曰沙麓崩盧谷切

古文从彔

棼 複屋棟也从林分聲符分切

森 木多皃从林从木讀若曾參之參所今切

文九 重一

梵 出自西域釋書未詳意義扶泛切

文一 新附

才 艸木之初也从丨上貫一將生枝葉一地也凡才之屬皆从才 徐鍇曰上一初生岐枝也下一地也昨哉切

文一

說文解字第六上

說文解字弟六下

漢太尉祭酒許氏記

銀青光祿大夫守右散騎常侍上柱國東海縣開國子食邑五百戶臣徐鉉等奉

敕校定

叒 日初出東方湯谷所登榑桑叒木也象形凡叒之屬皆从叒 而灼切

桑 蠶所食葉木从叒木息郎切

𣜼 籀文

文二 重一

之 出也象艸過屮枝莖益大有所之一者地也凡之之屬皆从之 止而切

㞷 艸木妄生也从之在土上讀若皇徐鍇曰反生謂非所宜生傳曰門上生莠从之在土上土上益高非所宜也戶光切

文二 重一

帀 周也从反之而帀也凡帀之屬皆从帀周盛說 子荅切

師 二千五百人爲師从帀从𠂤𠂤四帀衆意也踈夷切 𡚁 古文師

文二 重一

出 進也象艸木益滋上出達也凡出之屬皆从出 尺律切

敖 游也从出从放五牢切

賣 出物貨也从出从買莫邂切

糶 出穀也从出从糴糴亦聲他弔切

𣑨 槷𣑨不安也从出臬聲易曰槷𣑨徐鍇曰物不安則出不在也五結切

文五

𣎵 艸木盛𣎵𣎵然象形八聲凡𣎵之屬皆从𣎵讀若輩 普活切

𣐺 艸木𣐺孛之皃从𣎵畀聲于貴切

索 艸有莖葉可作繩索从𣎵糸杜林說𣎵亦朱木字蘇各切

孛 𣐺也从𣎵人色

孛 ……也从子論語曰色孛如也蒲妹切

𠂔 止也从𣎵盛而一横止之也即里切

南 艸木至南方有枝任也从𣎵羊聲那含切

𡴆 古文

文六　重一

生 進也象艸木生出土上凡生之屬皆从生所庚切

丰 艸盛丰丰也从生上下達也敷容切

產 生也从生彥省聲所簡切

隆 豐大也从生降聲徐鍇曰生而不已益高大也力中切

甤 艸木實甤甤也从生豨省聲讀若綏儒隹切

甡 衆生並立之皃从二生詩曰甡甡其鹿所臻切

文六

乇 艸葉也从垂穗上貫一下有根象形凡乇之屬皆从乇陟格切

文一

𠂹 艸木華葉𠂹象形凡𠂹之屬皆从𠂹是爲切

𠌶 古文

文一　重一

𠌶 艸木華也从𠂹亏聲凡𠌶之屬皆从𠌶況于切

荂 𠌶或从艸从夸

韡 盛也从𠌶韋聲詩曰萼不韡韡于鬼切

文二　重一

華 榮也从艸从𠌶凡華之屬皆从華户瓜切

皣 艸木白華也从華从白筠輒切

文二

禾 木之曲頭上不能上也凡禾之屬皆从禾古兮切

𥝌 多小意而止也从禾从只聲一曰木也職雉切

𥠖 稭𥠖也从禾从又句聲又者从丑省一曰木名徐鍇曰丑者束縛也稭𥠖不伸之意俱羽切

文三

稽 留止也从禾从尤旨聲凡稽之屬皆从稽古兮切

𥡴 特止也从稽省卓聲徐鍇曰特止卓立也竹角切

䅶 𥡴䅶而止也从稽省咎聲讀若皓賈侍中說稽𥡴䅶三字皆木名古老切

文三

鳥在木上曰巢在穴曰窠从木象形凡巢之屬皆从巢 鉏交切

傾覆也从寸臼覆之寸人手也从巢省杜林說以爲貶損之貶方斂切

文二

木汁可以髤物象形桼如水滴而下凡桼之屬皆从桼 親吉切

桼也从桼髟聲許尤切

桼垸已復桼之从桼包聲匹皃切

文三

縛也从口木凡束之屬皆从束 書玉切

分別簡之也从束从八八分別也古限切

小束也从束幵聲讀若繭古典切

戾也从束从刀刀者剌之也徐鍇曰剌乖違也束而乖違者莫若刀也盧達切

文四

橐也从束圂聲凡㯻之屬皆从㯻 胡本切

囊也从㯻省石聲他各切

橐也从㯻省襄省聲奴當切

車上大橐从㯻省咎聲詩曰載櫜弓矢古勞切

囊張大皃从㯻省匋省聲符宵切

文五

回也象回帀之形凡囗之屬皆从囗 羽非切

天體也从囗睘聲王權切

圜也从囗專聲度官切

規也从囗肙聲似沿切

回也从囗云聲羽巾切

圜全也从囗員聲讀若員王問切

轉也从囗中象回轉形户恢切

古文

畫計難也从囗从啚啚難意也徐鍇曰規畫之也故从囗同都切

回行也从囗睪聲尚書曰圛圛升雲半有半無讀若驛羊益切

邦也从囗从或古惑切

宮中道从囗象宮垣道上之形詩曰室家之壼苦本切

廩之圜者从禾在囗中圜謂之囷方謂之京南

倫切
養畜之閑也从口卷聲渠篆切
苑有垣也从口有聲一曰禽獸曰囿于救切
籀文囿
所以樹果也从口袁聲羽元切
種菜曰圃从口甫聲博古切
就也从口大徐鍇曰左傳曰種有因重固能大者衆圍就之於眞切
下取物縮藏之从口从又讀若聶女洽切
獄也从口令聲郎丁切
守之也从口吾聲魚舉切
繫也从人在口中似由切
四塞也从口古聲古慕切
守也从口韋聲羽非切
故廬也从木在口中苦悶切
古文困
廁也从口象豕在口中也會意胡困切
譯也从口化率鳥者繫生鳥以來之名曰囮讀若譌五禾切
囮或从繇又音由

文二十六　重四

物數也从貝口聲凡員之屬皆从員徐鍇曰古以貝爲貨故數之王權切
籀文从鼎
物數紛䡈亂也从員云聲讀若春秋傳曰宋皇鄖羽文切

文二　重一

海介蟲也居陸名猋在水名蜬象形古者貨貝而寶龜周而有泉至秦廢貝行錢凡貝之屬皆从貝博蓋切

貝聲也从小貝穌果切
財也从貝有聲呼罪切
人所寶也从貝才聲昨哉切
財也从貝化聲呼臥切
資也从貝爲聲或曰此古貨字讀若貴詭譌切
貨也从貝次聲即夷切
貨也从貝萬聲無販切
富也从貝辰聲之忍切
多才也从貝臤聲胡田切
飾也从貝卉聲彼義切
以禮相奉慶也从貝加聲胡箇切
獻功也从貝工聲古送切
見也从貝从兟臣鉉等曰兟音詵進也執贄而進有司贊相之則旰切
會禮也从貝𦘒聲徐刃切
持遺也从貝齊聲祖雞切
施也从貝代聲他代切
从人求物也从貝弋聲他得切
遺也从貝各聲臣鉉等曰當从路省乃得聲洛故切
物相增加也从貝朕聲一曰送也副也以證切
玩好相送也从貝曾聲昨鄧切
迻予也从貝皮聲彼義切
賜也从貝竷省聲臣鉉等曰竷非聲未詳古送切
籀文贛
賜也从貝來聲周書曰賚尒秬鬯洛帶切
賜有功也从貝尚聲書兩切
予也从貝易聲斯義切
重次弟物也从貝也聲以豉切
有餘賈利也从貝𣎆聲臣鉉等曰當从嬴省乃得聲以成切

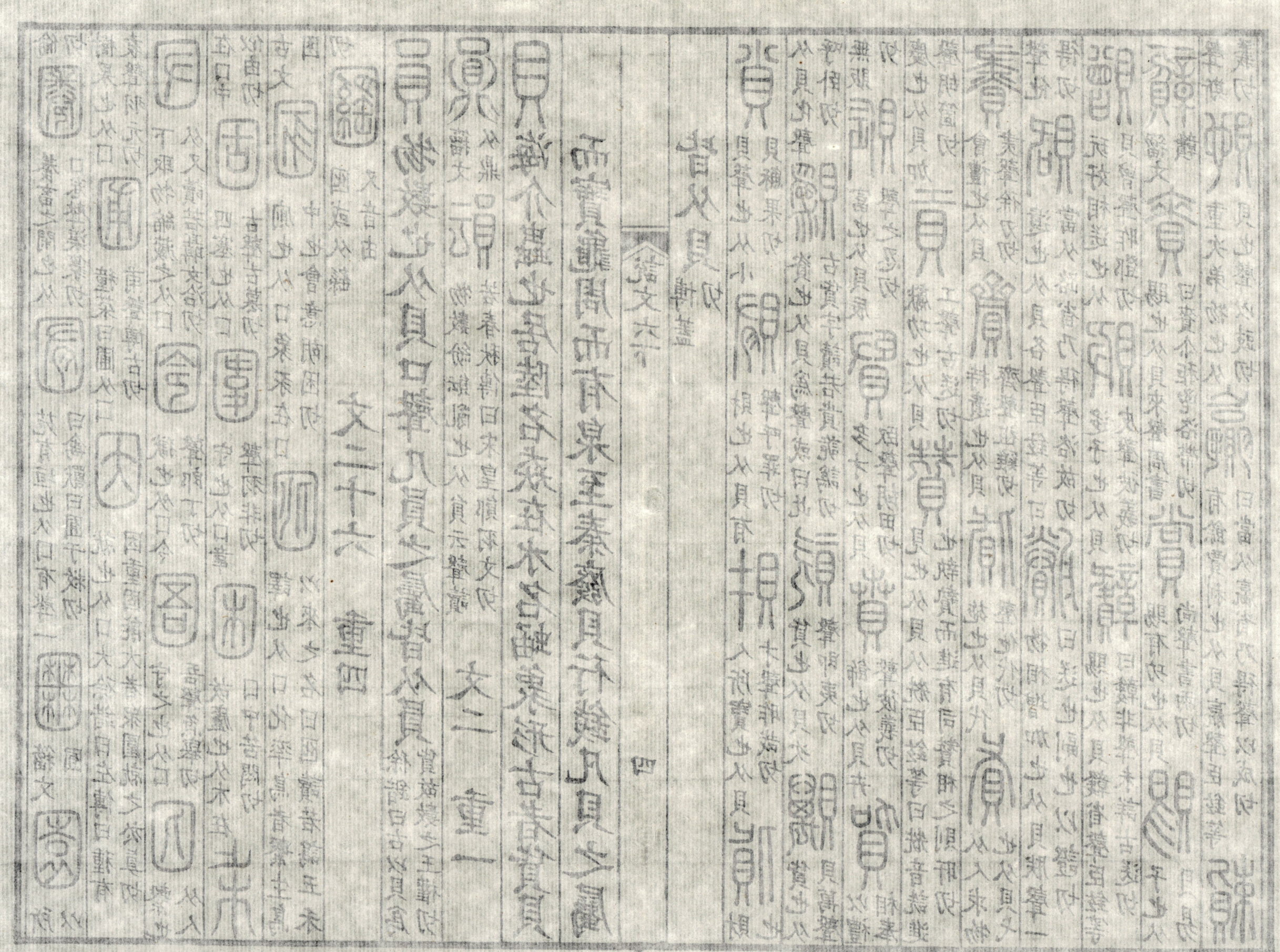

贏也从貝剌聲洛帶切
負　恃也从人守貝有所恃也一曰受貸不償房九切
貯　積也从貝宁聲直吕切
貳　副益也从貝弍聲弍古文二而至切
賓　所敬也从貝㝉聲必鄰切
𡪀　古文
賒　貰買也从貝余聲式車切
貰　貸也从貝世聲神夜切
贅　以物質錢从敖貝敖者猶放貝當復取之也之芮切
質　以物相贅从貝从所闕之日切
貿　易財也从貝丣聲莫候切
贖　貿也从貝賣聲殊六切
費　散財用也从貝弗聲房未切
責　求也从貝朿聲側革切
賈　賈市也从貝襾聲一曰坐賣售也公户切
𧶞　行賈也从貝商省聲式陽切
販　買賤賣貴者从貝反聲方願切
買　市也从网貝孟子曰登壟斷而网市利莫蟹切
賤　賈少也从貝戔聲才線切
賦　斂也从貝武聲方遇切
貪　欲物也从貝今聲他含切
貶　損也从貝从乏方斂切
貧　財分少也从貝从分分亦聲符巾切
穷　古文从宀分
賃　庸也从貝任聲尼禁切
賕　以財物枉法相謝也从貝求聲一曰戴質也巨留切
購　以財有所求也从貝冓聲古候切
䝼　齎財卜問爲䝼从貝疋聲讀若所疏舉切
貲　小罰以財自贖也从貝此聲漢律民不繇貲錢二十二即夷切
賨　南蠻賦也从貝宗聲徂紅切
𧶠　衒也从貝𡕥聲𡕥古文睦讀若育余六切
貴　物不賤也从貝臾聲臾古文蕢居胃切
賏　頸飾也从二貝烏莖切

文五十九　重三

貺　賜也从貝兄聲許訪切
賵　贈死者从貝从冒冒者衣衾覆冒之意撫鳳切
賭　博簺也从貝者聲當古切
貼　以物爲質也从貝占聲他叶切
貽　贈遺也从貝台聲經典通用詒与之切
賺　重買也錯也从貝廉聲佇陷切
賽　報也从貝塞省聲先代切
賻　助也从貝尃聲符遇切
贍　給也从貝詹聲時豔切

文九　新附

邑　國也从口先王之制尊卑有大小从卪凡邑之屬皆从邑　於汲切

邦　國也从邑丰聲博江切
𡋟　古文
郡　周制天子地方千里分爲百縣縣有四郡故春秋傳曰上大夫受郡是也至秦初置三十六郡以監其縣从邑君聲渠運切
都　有先君之舊宗廟曰都从邑者聲周禮距國五百里爲都當孤切
鄰　五家爲鄰从邑粦聲力珍切
酇　百家爲酇酇聚也从邑贊聲南陽有酇縣作管切又作旦切
鄙　五酇爲鄙从邑啚聲兵美切
郊　距國百里爲郊从邑交聲古肴切
邸　屬國舍从邑氐聲都禮切
郛　國也从邑孚聲甫無切
郵　境上行書

舍从邑垂垂邊也羽求切
䣈 國甸大夫稍稍所食邑从邑肖聲周禮曰任䣈地在天子三百里之内所教切
鄯 鄯善西胡國也从邑从善善亦聲時戰切
⿰竆阝 夏后時諸侯夷羿國也从邑窮省聲渠弓切
⿰契阝 周封黄帝之後於⿰契阝也从邑契聲讀若薊上谷有⿰契阝縣古詣切
邰 炎帝之後姜姓所封周棄外家國从邑台聲右扶風斄縣是也詩曰有邰家室土來切
⿰支阝 周文王所封在右扶風美陽中水鄉从邑支聲巨支切
岐 ⿰支阝或从山支聲因岐山以名之也
⿱枝山 古文⿰支阝从枝从山
邠 周太王國在右扶風美陽从邑分聲補巾切
豳 美陽亭即豳也民俗以夜市有豳山从山从豩闕
郿 右扶風縣从邑眉聲武悲切
郁 右扶風郁夷也从邑有聲於六切
鄠 右扶風縣名从邑雩聲胡古切
扈 夏后同姓所封戰於甘者在鄠有扈谷甘亭从邑戶聲胡古切
⿰山弓 古文扈从山弓
⿰崩阝 右扶風鄠鄉从邑崩聲沛城父有⿰崩阝鄉讀若部薄回切
⿰且阝 右扶風鄠鄉从邑且聲子余切
郝 右扶風鄠盩厔鄉从邑赤聲呼各切
酆 周文王所都在京兆杜陵西南从邑豐聲敷戎切
鄭 京兆縣周厲王子友所封从邑奠聲宗周之滅鄭徙潧洧之上今新鄭是也直正切
郃 左馮翊郃陽縣从邑合聲詩曰在郃之陽候閤切
⿰口阝 京兆藍田鄉从邑口聲苦后切
⿰樊阝 京兆杜陵鄉从邑樊聲附袁切
鄜 左馮翊縣从邑麃聲甫無切
⿰屠阝 左馮翊鄜陽亭从邑屠聲同都切
⿰由阝 左馮翊高陵从邑由聲徒歷切
⿰秊阝 左馮翊谷口鄉从邑秊聲讀若寧奴顛切
邽 隴西上邽也从邑圭聲古畦切
部 天水狄部从邑咅聲蒲口切
郖 宏農縣庾地从邑豆聲當侯切
鄏 河南縣直城門官陌地也从邑辱聲春秋傳曰成王定鼎于郟鄏而蜀切
鄻 周邑也从邑輦聲力展切
⿰祭阝 周邑也从邑祭聲側介切
邙 河南洛陽北亡山上邑从邑亡聲莫郎切
鄩 周邑也从邑尋聲徐林切
郗 周邑也在河内从邑希聲丑脂切
鄆 河内沁水鄉从邑軍聲魯有鄆地王問切
邶 故商邑自河内朝歌以北是也从邑北聲補妹切
邘 周武王子所封在河内野王是也从邑于聲又讀若區況于切
⿱𥝢邑 殷諸侯國在上黨東北从邑𥝢聲𥝢古文利商書西伯戡⿱𥝢邑郎奚切
邵 晉邑也从邑召聲寔照切
鄍 晉邑也从邑冥聲春秋傳曰伐鄍三門莫經切
鄐 晉邢侯邑从邑畜聲丑六切
鄇 晉之温地从邑侯聲春秋傳曰爭鄇田胡遘切
邲 晉邑也从邑必聲春秋傳曰晉楚戰于邲毗必切
郤 晉大夫叔虎邑也从邑谷聲綺戟切
⿱非邑 河東聞喜縣从邑非聲薄回切
⿰虔阝 河東聞喜聚从邑虔聲渠焉切
⿰匡阝 河東聞喜鄉从邑匡聲去王切
鄈 河東臨汾地即漢之所祭后土處从邑癸聲揆唯切
邢 周公子所封地近河内懷从邑开聲戶經切
鄔 太原縣名从邑烏聲安古切
祁 太原縣从邑示聲巨支切
鄴 魏郡縣从邑業聲魚怯切
郱 鄭地郱亭从邑并聲戶經切
邯

趙邯鄲縣从邑甘聲胡安切
鄲 邯鄲縣从邑單聲都寒切
郇 周武王子所封國在晉地从邑旬聲讀若泓相倫切
鄃 清河縣从邑俞聲式朱切
鄗 常山縣世祖所即位今爲高邑从邑高聲呼各切
鄡 鉅鹿縣从邑梟聲牽遙切
鄚 涿郡縣从邑莫聲慕各切
郅 北地郁郅縣从邑至聲之日切
鄋 北方長狄國也在夏爲防風氏在殷爲汪茫氏从邑叜聲春秋傳曰鄋瞞侵齊所鳩切
鄦 炎帝太嶽之允甫侯所封在潁川从邑無聲讀若許虛呂切
邟 潁川縣从邑亢聲苦浪切
郾 潁川縣从邑匽聲於建切
郟 潁川縣从邑夾聲工洽切
郪 新郪汝南縣从邑妻聲七稽切
鄎 姬姓之國在淮北从邑息聲今汝南新鄎相即切
郋 汝南邵陵里从邑自聲讀若奚胡雞切
⿰旁阝 汝南鮦陽亭从邑旁聲步光切
鄍 蔡邑也从邑狊聲春秋傳曰鄍陽封人之女奔之古闃切
鄧 曼姓之國今屬南陽从邑登聲徒亘切
鄾 鄧國地也从邑憂聲春秋傳曰鄧南鄙鄾人攻之於求切
⿰号阝 南陽淯陽鄉从邑号聲乎刀切
鄛 南陽棗陽鄉从邑巢聲鉏交切
⿰襄阝 今南陽穰縣是从邑襄聲汝羊切
⿰婁阝 南陽穰鄉从邑婁聲力朱切
⿰里阝 南陽西鄂亭从邑里聲良止切
⿰羽阝 南陽舞陰亭从邑羽聲王榘切
郢 故楚都在南郡江陵北十里从邑呈聲以整切
⿰𡈼阝 郢或省
鄢 南郡縣孝惠三年改名宜城从邑焉聲於乾切
鄳 江夏縣从邑黽聲莫杏切
⿰葛阝 南陽陰鄉从邑葛聲古達切
鄂 江夏縣从邑咢聲五各切
邔 南陽縣从邑己聲居擬切
邾 江夏縣从邑朱聲陟輸切
鄖 漢南之國从邑員聲漢中有鄖關羽文切
鄘 南夷國从邑庸聲余封切
郫 蜀縣也从邑卑聲符支切
⿰壽阝 蜀江原地从邑壽聲市流切
⿰耤阝 蜀地也从邑耤聲秦昔切
鄤 蜀廣漢鄉也从邑蔓聲讀若蔓無販切
邡 什邡廣漢縣从邑方聲府良切
⿰馬阝 存⿰馬阝犍爲縣从邑馬聲莫駕切
鄨 牂牁縣从邑敝聲讀若鷩雉之鷩必袂切
⿰包阝 地名从邑包聲布交切
那 西夷國从邑冄聲安定有朝那縣諾何切
鄱 鄱陽豫章縣从邑番聲薄波切
酃 長沙縣从邑霝聲郎丁切
郴 桂陽縣从邑林聲丑林切
郲 今桂陽郲陽縣从邑耒聲盧對切
鄮 會稽縣从邑貿聲莫候切
鄞 會稽縣从邑堇聲語斤切
⿰市阝 沛郡从邑市聲博蓋切
邴 宋下邑从邑丙聲兵永切
⿰虘阝 沛國縣从邑虘聲昨何切
⿰少阝 地名从邑少聲書沼切
⿰臣阝 地名从邑臣聲植鄰切
⿰毚阝 宋地也从邑毚聲讀若讒士咸切
鄑 宋魯閒地从邑晉聲即移切
郜 周文王子所封國从邑告聲古到切
鄄 衛地今濟陰鄄城从邑垔聲吉掾切
邛 邛地在濟陰縣从邑工聲渠容切
鄶 祝融之後妘姓所封潧洧之閒鄭滅之从邑會聲古外切
郔 鄭地从邑延聲以然切
郠 琅邪莒邑从邑更聲春秋傳曰取郠古杏切
鄅 妘姓之國从邑

禹聲春秋傳曰鄅人籍稻讀若規榘之榘王榘切

鄒 魯縣古邾國帝顓頊之後所封从邑芻聲側鳩切

𨛦 邾下邑地从邑余聲魯東有𨛦城讀若塗同都切

邿 附庸國在東平亢父邿亭从邑寺聲春秋傳曰取邿書之切

郰 魯下邑孔子之鄉从邑取聲側鳩切

郕 魯孟氏邑从邑成聲氏征切

⿰奄阝 周公所誅⿰奄阝國在魯从邑奄聲依檢切

酄 魯下邑从邑雚聲春秋傳曰齊人來歸酄呼官切

郎 魯亭也从邑良聲魯當切

邳 奚仲之後湯左相仲虺所封國在魯薛縣从邑丕聲敷悲切

鄣 紀邑也从邑章聲諸良切

邗 國也今屬臨淮从邑干聲一曰邗本屬吳胡安切

⿰義阝 臨淮徐地从邑義聲春秋傳曰徐鄬楚魚羈切

郈 東平無鹽鄉从邑后聲胡口切

郯 東海縣帝少昊之後所封从邑炎聲徒甘切

郚 東海縣故紀侯之邑也从邑吾聲五乎切

酅 東海之邑从邑巂聲户圭切

鄫 姒姓國在東海从邑曾聲疾陵切

邪 琅邪郡从邑牙聲以遮切

邞 琅邪縣一名純德从邑夫聲甫無切

⿰桼阝 齊地也从邑桼聲親吉切

郭 齊之郭氏虛善善不能進惡惡不能退是以亡國也从邑享聲古博切

郳 齊地从邑兒聲春秋傳曰齊高厚定郳田五雞切

郣 郣海地从邑孛聲一曰地之起者曰郣臣鉉等曰今俗作渤非是蒲沒切

⿰覃阝 國也齊桓公之所滅从邑覃聲臣鉉等曰今作譚非是說文注義有譚長疑後人傳寫之誤徒含切

⿰句阝 地名从邑句聲其俱切

郂 陳留鄉从邑亥聲古哀切

⿰𢦏阝 故國在陳留从邑𢦏聲作代切

酀 地名从邑燕聲烏前切

邱 地名从邑丘聲去鳩切

⿰如阝 地名从邑如聲人諸切

⿰丑阝 地名从邑丑聲女九切

邔 地名从邑几聲居履切

⿰翕阝 地名从邑翕聲希立切

⿰求阝 地名从邑求聲巨鳩切

⿰嬰阝 地名从邑嬰聲於郢切

⿰尚阝 地名从邑尚聲多朗切

郱 地名从邑幷聲薄經切

⿰虖阝 地名从邑虖聲呼古切

邩 地名从邑火聲呼果切

⿰翏阝 地名从邑翏聲盧鳥切

鄬 地名从邑爲聲居爲切

邨 地名从邑屯聲臣鉉等曰今俗作村非是此尊切

⿰舍阝 地名从邑舍聲式車切

⿰盍阝 地名从邑盍聲胡蠟切

⿰乾阝 地名从邑乾聲古寒切

⿰嗇阝 地名从邑嗇聲讀若淫力荏切

邖 地名从邑山聲所閒切

⿰臺阝 地名从邑臺聲臺古堂字徒郎切

⿰馮阝 姬姓之國从邑馮聲房戎切

⿰蒯阝 汝南安陽鄉从邑敲省聲苦怪切

郙 汝南上蔡亭从邑甫聲方矩切

酈 南陽縣从邑麗聲郎擊切

⿰䙴阝 地名从邑䙴聲七然切

[反邑] 从反邑𨛜字从此闕

文一百八十一 重六

𨛜 鄰道也从邑从[反邑]凡𨛜之屬皆从𨛜闕胡絳切今變隸作郒

鄉 國離邑民所封鄉也嗇夫別治封圻之內六鄉六鄉治之从𨛜皀聲許良切 䢽 里中道从𨛜从共皆在邑中所共也胡絳切

巷 篆文从𨛜省

文三　重一

說文解字第六下

說文解字弟七上　漢太尉祭酒許慎記

銀青光祿大夫守右散騎常侍上柱國東海縣開國子食邑五百戶臣徐鉉等奉敕校定

五十六部　文七百一十四　重百一十五

凡八千六百四十七字

文四十二新附

日 實也。太陽之精不虧。从口一。象形。凡日之屬皆从日。人質切

囗 古文。象形

旻 秋天也。从日文聲。虞書曰：仁閔覆下，則稱旻天。武巾切

時 四時也。从日寺聲。市之切

旹 古文時。从之日

早 晨也。从日在甲上。子浩切

昒 尚冥也。从日勿聲。呼骨切

昧 爽，旦明也。从日未聲。一曰闇也。莫佩切

睹 旦明也。从日者聲。當古切

晣 昭晣，明也。从日折聲。禮曰：晣明行事。旨熱切

昭 日明也。从日召聲。止遥切

晤 明也。从日吾聲。詩曰：晤辟有摽。五故切

的 明也。从日勺聲。易曰：為的顙。都歷切

晄 明也。从日光聲。胡廣切

曠 明也。从日廣聲。苦謗切

旭 日旦出皃。从日九聲。讀若勗。一曰明也。臣鉉等曰：九非聲，未詳。許玉切

晉 進也。日出萬物進。从日从臸。易曰：明出地上，晉。臣鉉等案：臸，到也。會意。即刃切

暘 日出也。从日昜聲。虞書曰：暘谷。與章切

啓 雨而晝姓也。从日，啓省聲。康礼切

晹 日覆雲暫見也。从日易聲。羊益切

昫 日出温也。从日句聲。北地有昫衍縣。火于切，又火句切

晛 日見也。从日从見，見亦聲。詩曰：見晛曰消。胡甸切

晏 天清也。从日安聲。烏諫切

曣 星無雲也。从日燕聲。於甸切

景 光也。从日京聲。居影切

晧 日出皃。从日告聲。胡老切

暤 晧旰也。从日皋聲。胡老切

曄 光也。从日从𠌶。筠輒切

暉 光也。从日軍聲。許歸切

旰 晚也。从日干聲。春秋傳曰：日旰君勞。古案切

暆 日行暆暆也。从日施聲。樂浪有東暆縣。讀若酏。弋支切

晷 日景也。从日咎聲。居洧切

𣅡 日在西方時側也。从日仄聲。易曰：日𣅡之離。臣鉉等曰：今俗別作昃，非是。阻力切

晚 莫也。从日免聲。無遠切

昏 日冥也。从日氐省。氐者，下也。一曰民聲。呼昆切

曫 日旦昏時。从日䜌聲。讀若新城䜌中。洛官切

晻 不明也。从日奄聲。烏敢切

暗 日無光也。从日音聲。烏紺切

晦 月盡也。从日每聲。荒内切

䏶 埃䏶，日無光也。从日

能聲奴代切

曀 陰而風也从日壹聲詩曰終風且曀於計切

旱 不雨也从日干聲乎旰切

㫐 望遠合也从日匕匕合也讀若窈窕之窈徐鍇曰比相近也故曰合也烏皎切

昴 白虎宿星从日卯聲莫飽切

曏 不久也从日鄉聲春秋傳曰曏役之三月許兩切

曩 曏也从日襄聲奴朗切

昨 壘日也从日乍聲在各切

暇 閑也从日叚聲胡嫁切

暫 不久也从日斬聲藏濫切

昪 喜樂皃从日弁聲皮變切

昌 美言也从日从曰一曰日光也詩曰東方昌矣臣鉉等曰曰亦言也尺良切

𣅹 籀文昌省

暀 光美也从日往聲于放切

昄 大也从日反聲補綰切

昱 明日也从日立聲余六切

㬳 溫溼也从日赧省聲讀與赧同女版切

暍 傷暑也从日曷聲於歇切

暑 熱也从日者聲舒呂切

㬮 安㬮溫也从日難聲奴案切

㬎 衆微杪也从日中視絲古文以爲顯字或曰衆口皃讀若唫唫或以爲繭繭者絮中往往有小繭也五合切

㬥 晞也从日从出从廾从米薄報切

𣋡 古文暴从日麃聲

曬 暴也从日麗聲所智切

暵 乾也耕暴田曰暵从日堇聲易曰燥萬物者莫暵于離臣鉉等曰當从漢省乃得聲呼旰切

晞 乾也从日希聲香衣切

昔 乾肉也从殘肉日以晞之與俎同意思積切

㫺 籀文从肉

暱 日近也从日匿聲春秋傳曰私降暱燕尼質切

昵 暱或从尼

暬 日狎習相慢也从日執聲私列切

㫭 不見也从日否省聲美畢切

昆 同也从日从比徐鍇曰日日比之是同也古渾切

晐 兼晐也从日亥聲古哀切

普 日無色也从日从並徐鍇曰日無光則遠近皆同故从並滂古切

曉 明也从日堯聲呼鳥切

昕 旦明日將出也从日斤聲讀若希許斤切

文七十　重六

曈 曈曨日欲明也从日童聲徒紅切

曨 曈曨也从日龍聲盧紅切

昈 明也从日戶聲侯古切

昉 明也从日方聲分兩切

晙 明也从日夋聲子峻切

晟 明也从日成聲承正切

昶 日長也从日永會意丑兩切

暈 日月气也从日軍聲王問切

晬 周年也从日卒卒亦聲子内切

映 明也隱也从日央聲於敬切

曙 曉也从日署聲常恕切

昳 日昃也从日失聲徒結切

曇 雲布也从日雲會意徒含切

曆 曆象也从日厤聲史記通用歷郎擊切

昂 舉也从日卬聲五岡切

昇 日上也从日升聲古只用升識蒸切

文十六新附

旦 明也从日見一上一地也凡旦之屬皆从旦得案切

暨 日頗見也从旦既聲其冀切

文二

倝 日始出光倝倝也从旦㫃聲凡倝之屬皆

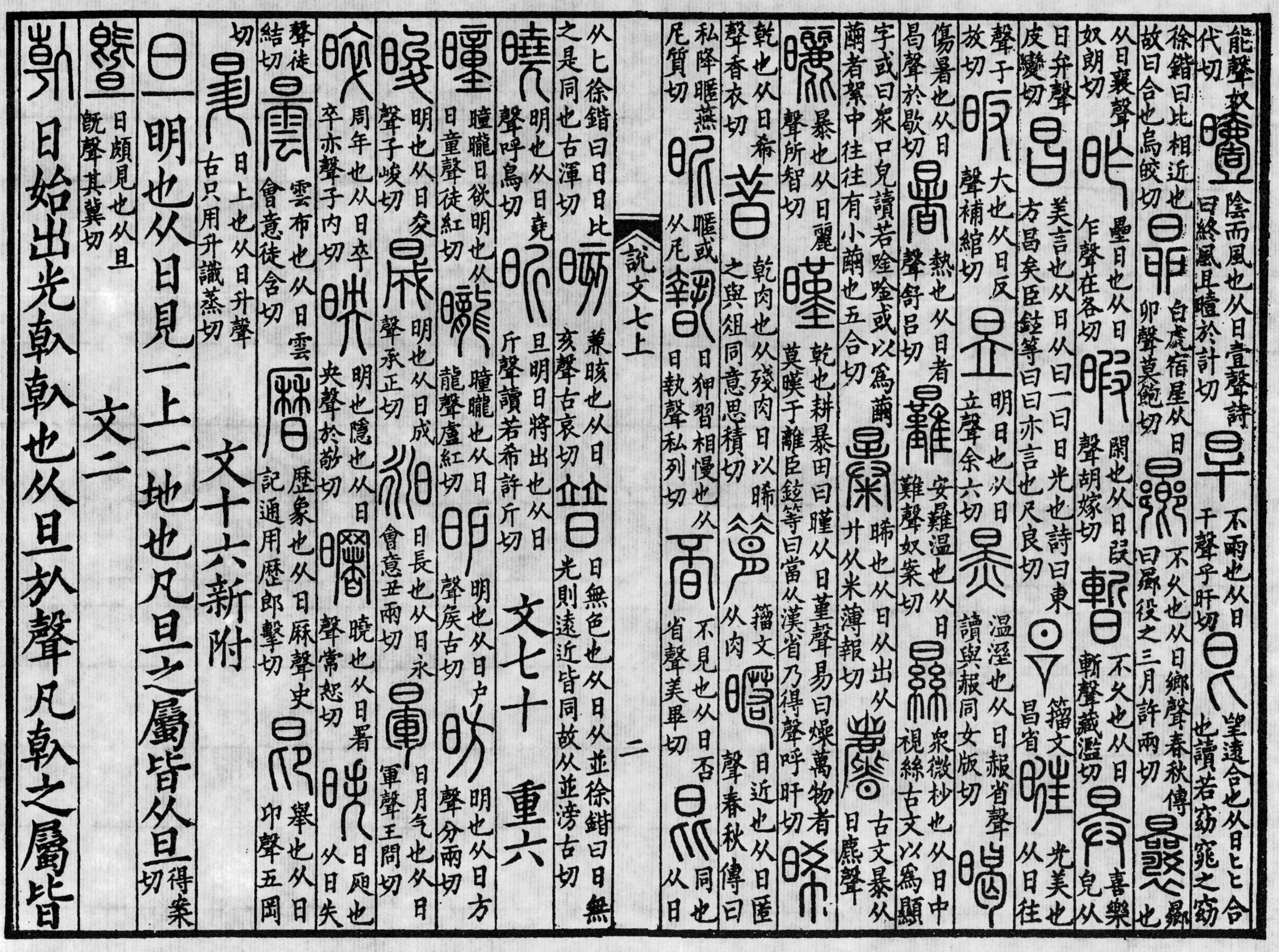

[illegible]

文七十　重六

[illegible]

文十六　新附

旦　明也从日見一上一地也凡旦之屬皆从旦　得案切

暨　日頗見也从旦既聲　其冀切

文二

倝　日始出光倝倝也从旦㫃聲凡倝之屬皆从倝　古案切

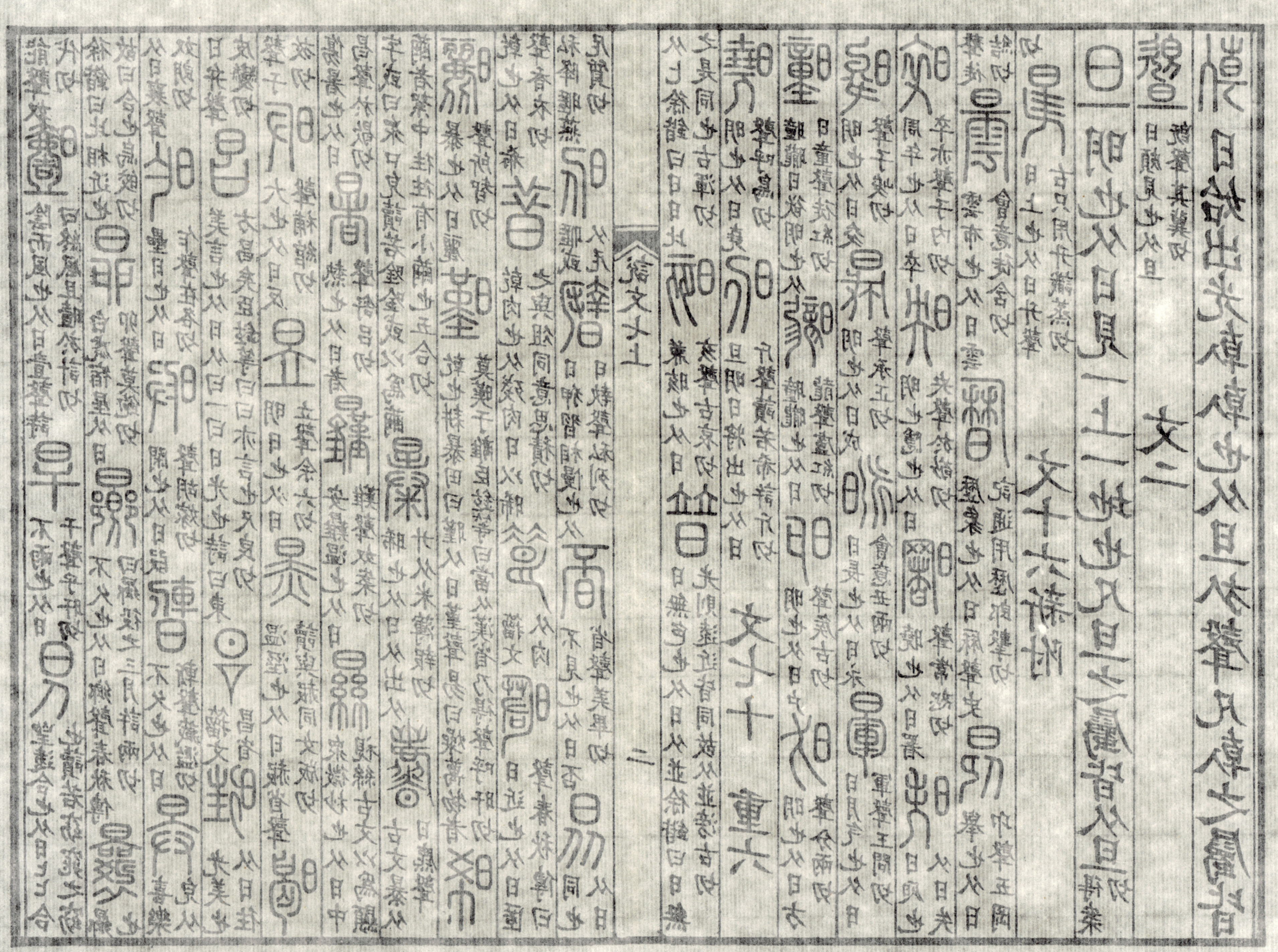

从倝 古案切

𠦝 闕 朝 旦也从倝舟聲陟遥切

文三

㫃 旌旗之游㫃蹇之皃从屮曲而下垂㫃相出入也讀若偃古人名㫃字子游凡㫃之屬皆从㫃 於幰切

𠃨 古文㫃字象形及象旌旗之游 旐 龜蛇四游以象營室游游而長从㫃兆聲周禮曰縣鄙建旐治小切

旗 熊旗五游以象罰星士卒以爲期从㫃其聲周禮曰率都建旗渠之切 旆 繼旐之旗也沛然而垂从㫃𣎵聲蒲蓋切

旌 游車載旌析羽注旄首所以精進士卒从㫃生聲子盈切 旟 錯革畫鳥其上所以進士衆旟旟衆也从㫃與聲周禮曰州里建旟以諸切

旂 旗有衆鈴以令衆也从㫃斤聲渠希切 旞 導車所以載全羽以爲允允進也从㫃遂聲徐醉切 䢫 旞或从遺

旝 建大木置石其上發以機以追敵也从㫃會聲春秋傳曰旝動而鼓詩曰其旝如林古外切 旃 旗曲柄也所以旃表士衆从㫃丹聲周禮曰通帛爲旃諸延切

旜 旃或从亶 𣄊 旌旗之流也从㫃攸聲以周切 ⿸㫃要 旗屬从㫃要聲烏皎切 施

旗皃从㫃也聲亝欒施字子旗知施者旗也式支切 旖 旗旖施也从㫃奇聲於离切 旚 旌旗旚䌛也从㫃票聲匹招切

⿸㫃猋 旌旗飛揚皃从㫃猋聲甫遥切 游 旌旗之流也从㫃汓聲以周切 𨒪 古文游 旇 旌旗披靡也从㫃皮聲敷羈切

旋 周旋旌旗之指麾也从㫃从疋疋足也徐鍇曰人足隨旌旗以周旋也似沿切 旄 幢也从㫃从毛毛亦聲莫袍切 旛

幅胡也从㫃番聲臣鉉等曰胡幅之下垂者也孚袁切 旅 軍之五百人爲旅从㫃从从从俱也力舉切 𠂸 古文旅古文以爲魯衞之魯

族 矢鋒也束之族族也从㫃从矢昨木切

文二十三 重五

冥 幽也从日从六冖聲日數十十六日而月始虧幽也凡冥之屬皆从冥 莫經切

鼆 冥也从冥黽聲讀若黽蛙之黽武庚切

文二

晶 精光也从三日凡晶之屬皆从晶 子盈切

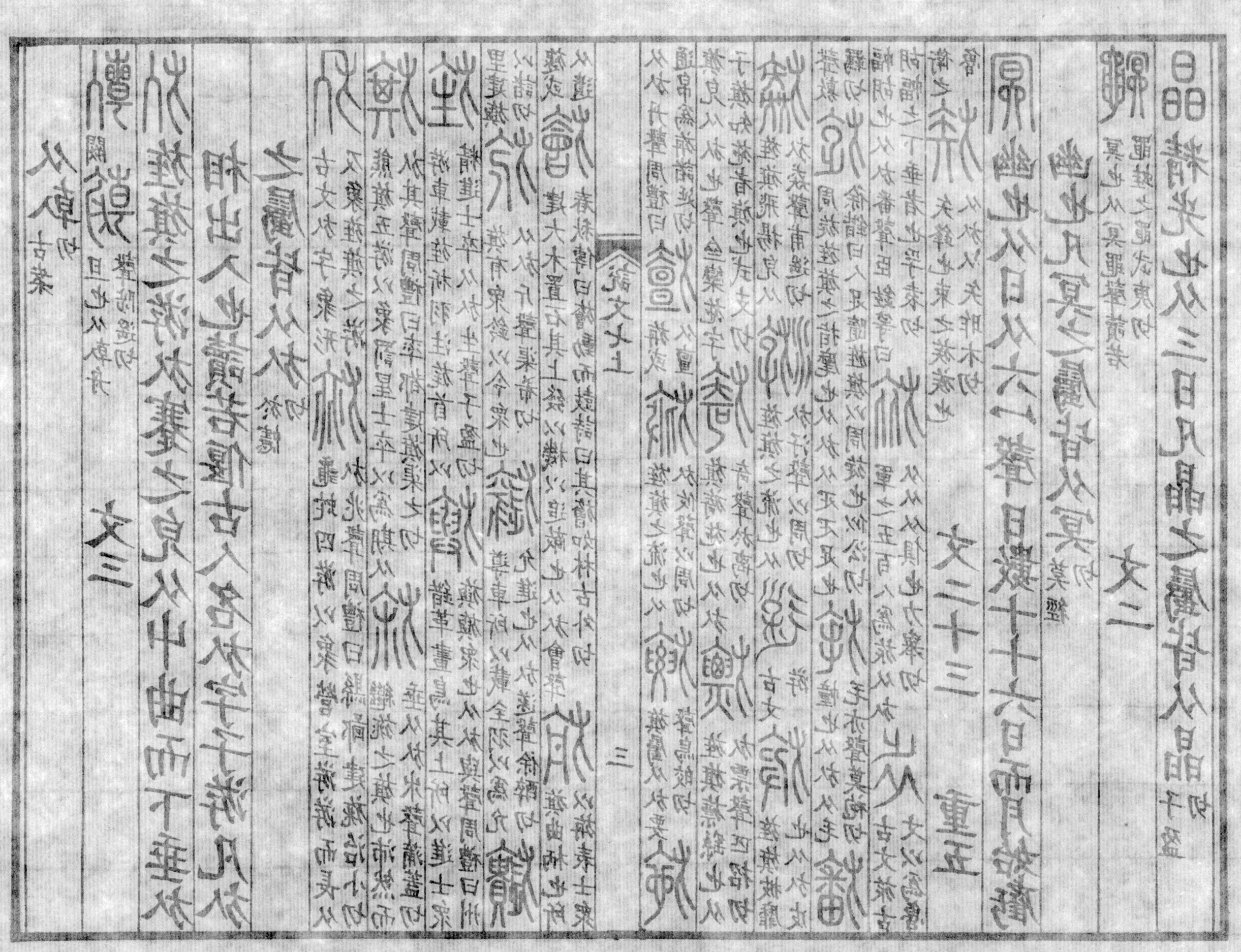

萬物之精上爲列星从晶生聲一曰象形从口古口復注中故與日同桑經切 古文星 星或省

商星也从晶㐱聲臣鉉等曰㐱非聲未詳所今切 曑或省

房星爲民田時者从晶辰聲植鄰切 晨或省

楊雄說以爲古理官決罪三日得其宜乃行之从晶从宜亡新以爲曡从三日太盛改爲三田徒叶切

文五 重四

闕也太陰之精象形凡月之屬皆从月 魚厥切

月一日始蘇也从月屰聲所角切

月未盛之明从月出周書曰丙午朏普乃切又芳尾切

月始生霸然也承大月二日承小月三日从月䨣聲周書曰哉生霸普伯切臣鉉等曰今俗作必駕切以爲霸王字 古文霸

明也从月良聲盧黨切

晦而月見西方謂之朓从月兆聲土了切

朔而月見東方謂之縮肭从月内聲女六切

會也从月其聲渠之切 古文期从日丌

文八 重二

月朦朧也从月蒙聲莫工切

朦朧也从月龍聲盧紅切

文二 新附

不宜有也春秋傳曰日月有食之从月又聲凡有之屬皆从有 云九切

有文章也从有惑聲於六切

兼有也从有龍聲讀若聾盧紅切

文三

照也从月从囧凡明之屬皆从明 武兵切 古文明从日

翌也从明亡聲呼光切

文二 重一

窻牖麗廔闓明象形凡囧之屬皆从囧讀若獷賈侍中說讀與明同 俱永切

文一

周禮曰國有疑則盟諸侯再相與會十二歲一盟北面詔天之司慎司命盟殺牲歃血朱盤玉敦以立牛耳从囧从血武兵切 篆文从明 古文从明

文二 重二

莫也从月半見凡夕之屬皆从夕 祥易切

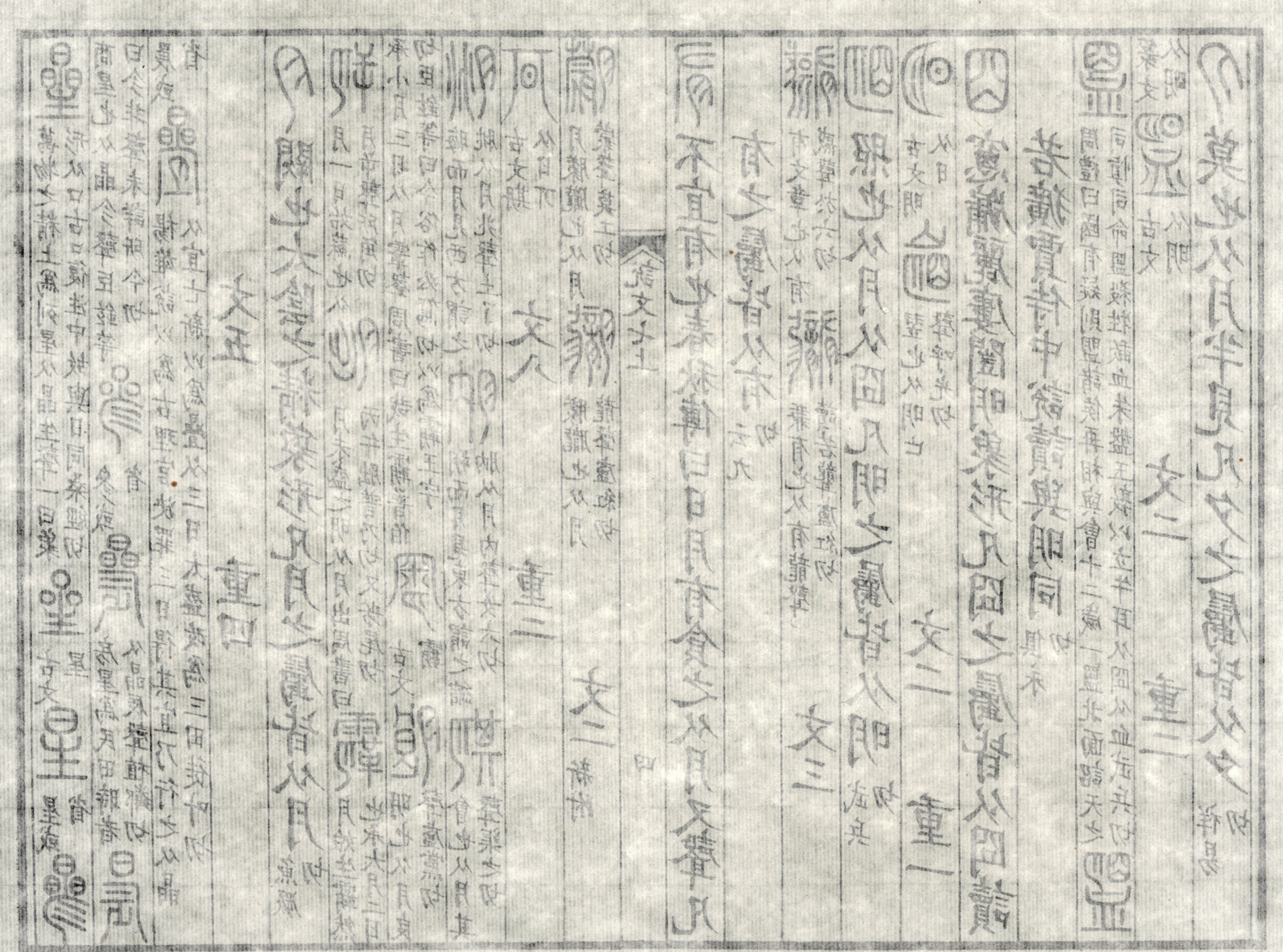

夜舍也天下休舍也从夕亦省聲羊謝切 夢不明也从夕瞢省聲莫忠切又亡貢切 夗轉臥也从夕从卪臥有卪也於阮切 夤敬惕也从夕寅聲易曰夕惕若夤翼眞切 𡖟籀文夤 夝雨而夜除星見也从夕生聲臣鉉等曰今俗別作晴非是疾盈切 外遠也卜尚平旦今夕卜於事外矣五會切 𡰻古文外 𡖋早敬也从丮持事雖夕不休早敬者也臣鉉等曰今俗書作夙譌息逐切 𠈇古文夙从人㐁 𠀘亦古文夙从人㐁宿从此 𡖈宗也从夕莫聲莫白切

文九 重四

多重也从重夕夕者相繹也故爲多重夕爲多重日爲疊凡多之屬皆从多得何切 𡖇古文多 夥齊謂多爲夥从多果聲乎果切 𡖍大也从多圣聲苦回切 𡖶厚脣皃从多从尚徐鍇曰多即厚也陟加切

文四 重一

毌穿物持之也从一橫貫象寶貨之形凡毌之屬皆从毌讀若冠古丸切 貫錢貝之貫从毌貝古玩切 虜獲也从毌从力虍聲郎古切

文三

𢎘嘾也艸木之華未發圅然象形凡𢎘之屬皆从𢎘讀若含乎感切 圅舌也象形舌體𢎘𢎘从𢎘𢎘亦聲胡男切 肣俗圅从肉今 𢎍木生條也从𢎘由聲商書曰若顛木之有𢎍枿古文言由枿徐鍇曰說文無由字今尚書只作由枿蓋古文省𢎘而後人因省之通用爲因由等字从𢎘上象枝條華圅之形臣鉉等按孔安國注尚書直訓由作用也用枿之語不通以州切 甬艸木華甬甬然也从𢎘用聲余隴切 𢎜艸木𢎘盛也从二𢎘胡先切

文五 重一

東木垂華實从木𢎘𢎘亦聲凡東之屬皆从東胡感切

韢 東也从東韋聲徐鍇曰言東之象木華實之相累也于非切

文二

𠧪 艸木實垂𠧪𠧪然象形凡𠧪之屬皆从𠧪讀若調徒遼切

𠧪𠧪𠧪 籀文三𠧪爲𠧪

㮚 木也从木其實下垂故从𠧪力質切

𣡌 古文㮚从西从二𠧪徐巡說木至西方戰㮚

粟 嘉穀實也从𠧪从米孔子曰粟之爲言續也相玉切

𥻆 籀文粟

文三　重三

齊 禾麥吐穗上平也象形凡亝之屬皆从亝徐鍇曰生而齊者莫若禾麥二地也兩傍在低處也徂兮切

𪗉 等也从亝妻聲徂兮切

文二

朿 木芒也象形凡朿之屬皆从朿讀若刺七賜切

棗 羊棗也从重朿子皓切

棘 小棗叢生者从並朿己力切

文三

片 判木也从半木凡片之屬皆从片匹見切

版 判也从片反聲布綰切

𤗨 判也从片畐聲芳逼切

牘 書版也从片賣聲徒谷切

牒 札也从片枼聲徒叶切

牑 牀版也从片扁聲讀若邊方田切

牖 穿壁以木爲交窻也从片戶甫譚長以爲甫上日也非戶也牖所以見日與久切

腧 築牆短版也从片俞聲讀若俞一曰若紐度矦切

文八

鼎 三足兩耳和五味之寶器也昔禹收九牧之金鑄鼎荆山之下入山林川澤螭魅蝄蜽莫能逢之以協承天休易卦巽木於下者爲鼎象析木以炊也籀文以鼎爲貞字凡鼎之屬皆从鼎都挺切

鼒 鼎之圜掩上者从鼎才聲詩曰鼐鼎及鼒子之切

鎡 俗鼒从金从茲

鼐 鼎之絕大者从鼎乃聲魯詩

說鼐小鼎奴代切

鼏　以木橫貫鼎耳而舉之从鼎冂聲周禮廟門容大鼏七箇即易玉鉉大吉也莫狄切

文四　重一

克　肩也象屋下刻木之形凡克之屬皆从克　徐鍇曰肩任也負何之名也與人肩膊之義通能勝此物謂之克苦得切

㐮　古文克　亦古文克

文一　重二

彔　刻木彔彔也象形凡彔之屬皆从彔　盧谷切

文一

禾　嘉穀也二月始生八月而孰得時之中故謂之禾禾木也木王而生金王而死从木从𠂹省𠂹象其穗凡禾之屬皆从禾　戶戈切

秀　上諱　漢光武帝名也徐鍇曰禾實也有實之象下垂也息救切

稼　禾之秀實爲稼莖節爲禾从禾家聲一曰稼家事也一曰在野曰稼古訝切

穡　穀可收曰穡从禾嗇聲所力切

穜　埶也从禾童聲之用切

稙　早穜也从禾直聲詩曰稙稚尗麥常職切

種　先穜後孰也从禾重聲直容切

稑　疾孰也从禾坴聲詩曰黍稷穜稑力竹切

穋　稑或从翏

稺　幼禾也从禾屖聲直利切

稹　穜概也从禾真聲周禮曰稹理而堅之忍切

稠　多也从禾周聲直由切

穊　稠也从禾既聲几利切

稀　疏也从禾希聲徐鍇曰當言从爻从巾無聲字爻者稀疏之義與爽同意巾象禾之根莖至於莃晞皆當从稀省何以知之說文無希字故也香衣切

䅉　禾也从禾蔑聲莫結切

穆　禾也从禾㣎聲莫卜切

私　禾也从禾厶聲北道名禾主人曰私主息夷切

𥢔　稻紫莖不黏也从禾糞聲讀若靡扶沸切

稷　齋也五穀之長从禾畟聲子力切

𥟞　古文稷省

𪗉　稷也从禾齊聲即夷切

秶　𪗉或从次

秫　稷之黏者从禾术象形食聿切

术　秫或省禾

穄　穈也从禾祭聲子例切

稻　稌也从禾舀聲徒晧切

稌　稻也从禾余聲周禮曰牛宜稌徒古切

稬　沛國謂稻曰稬从禾耎聲奴亂切

稴　稻不黏者从禾兼聲讀若風廉之廉力兼切

秔　稻屬从禾亢聲古行切

稉　秔或

从更聲
秏 稻屬从禾毛聲伊尹曰飯之美者元山之禾南海之秏呼到切
穬 芒粟也从禾廣聲古猛切
秜 稻今年落來年自生謂之秜从禾尼聲里之切
稗 禾別也从禾卑聲琅邪有稗縣旁卦切
移 禾相倚移也从禾多聲一曰禾名臣鉉等曰多與移聲不相近蓋古有此音弋支切
穎 禾末也从禾頃聲詩曰禾穎穟穟余頃切
𥝩 齊謂麥𥝩也从禾來聲洛哀切
采 禾成秀也人所以收从爪禾徐醉切
穗 采或从禾惠聲
𥝪 禾危穗也从禾勺聲都了切
穟 禾采之皃从禾遂聲詩曰禾穎穟穟徐醉切
蓫 穟或从艸
𥠻 禾垂皃从禾耑聲讀若端丁果切
𥡦 禾舉出苗也从禾曷聲居謁切
秒 禾芒也从禾少聲亡沼切
穖 禾穖也从禾幾聲居狶切
秠 一稃二米从禾丕聲詩曰誕降嘉穀惟秬惟秠天賜后稷之嘉穀也敷悲切
秨 禾搖皃从禾乍聲讀若昨在各切
穮 耕禾閒也从禾麃聲春秋傳曰是穮是衮甫嬌切
案 轢禾也从禾安聲烏旰切
秄 壅禾本从禾子聲即里切
穧 穫刈也一曰撮也从禾齊聲在詣切
穫 刈穀也从禾蒦聲胡郭切
穦 積禾也从禾資聲詩曰穦之秩秩即夷切
積 聚也从禾責聲則歷切
秩 積也从禾失聲詩曰穦之秩秩直質切
稛 絭束也从禾囷聲苦本切
稞 穀之善者从禾果聲一曰無皮穀胡瓦切
秳 舂粟不潰也从禾昏聲戶括切
䅂 稭也从禾气聲居气切
稃 稭也从禾孚聲芳無切
粰 稃或从米付聲
𥢑 穅也从禾會聲苦會切
穅 穀皮也从禾从米庚聲苦岡切
康 穅或省
䅘 禾皮也从禾羔聲臣鉉等曰羔聲不相近未詳之若切
稭 禾稾去其皮祭天以爲席从禾皆聲古黠切
稈 禾莖也从禾旱聲春秋傳曰或投一秉稈古旱切
秆 稈或从干
稾 稈也从禾高聲古老切
秕 不成粟也从禾比聲卑履切
䅌 麥莖也从禾肙聲古元切
䅖 黍穰也从禾列聲良薛切
穰 黍䅖已治者从禾襄聲汝羊切
秧 禾若秧穰也从禾央聲於良切
䅊 䅊程穀名从禾旁聲薄庚切
程 䅊程也从禾皇聲戶光切
秊 穀孰也从禾千聲春秋傳曰大有年奴顛切
穀 續也百穀之總名从禾㱿聲古祿切
稔 穀孰也从禾念聲春秋傳曰鮮不五稔而甚切
租 田賦也从禾且聲則吾切
稅 租也从禾兌聲輸芮切
䆃 禾也从禾道聲司馬相如曰䆃一莖六穗徒到切
穌 把取禾若也从禾魚聲素孤切
穅 虛無食也从禾荒聲呼光切
稍 出物有漸也从禾肖聲所教切
秋 禾穀孰也从禾𪚱省聲七由切
龝 籒文不省
秦 伯益之後所封國地宜禾从禾舂省一曰秦禾名匠鄰切
𥠖 籒文秦从秝
稱 銓也从禾爯聲春分而禾生日夏至晷景可度禾有秒秋分而秒定律數十二秒而當一分十分而寸其以爲重十二粟爲一分十二分爲一銖故諸

青聲子盈切
粺 毇也从米卑聲旁卦切
粗 疏也从米且聲徂古切
粊 惡米也从米北聲周書有粊誓兵媚切
糱 牙米也从米辥聲魚列切
粒 糂也从米立聲力入切
𩚵 古文粒
釋 漬米也从米睪聲施隻切
糂 以米和羹也一曰粒也从米甚聲桑感切
糣 籒文糂从朁
糝 古文糂从參
糪 炊米者謂之糪从米辟聲博戹切
糜 糝也从米麻聲靡爲切
䊤 糜和也从米覃聲讀若鄲徒感切
粎 漬米也从米尼聲交阯有粎泠縣武夷切
䊶 酒母也从米鞠省聲駈六切
䴹 鞠或从麥鞠省聲
糟 酒滓也从米曹聲作曹切
𨣧 籒文从酉
糒 乾也从米葡聲平祕切
糗 熬米麥也从米臭聲去九切
𣫜 舂糗也从臼米其九切
糈 糧也从米胥聲私呂切
糧 穀也从米量聲呂張切
粈 雜飯也从米丑聲女久切
䊮 穀也从米翟聲他弔切
𥻿 糵也从米蔑聲莫撥切
粹 不雜也从米卒聲雖遂切
氣 饋客芻米也从米气聲春秋傳曰齊人來氣諸侯許旣切
槩 氣或从旣
餼 氣或从食
粠 陳臭米从米工聲戶工切
粉 傅面者也从米分聲方吻切
䊎 粉也从米卷聲去阮切
𥽨 䊝也从米悉聲私列切
䊝 𥽨䊝散之也从米殺聲桑割切
䊳 碎也从米靡聲摸臥切
竊 盜自中出曰竊从穴从米禼廿皆聲廿古文疾禼古文偰千結切

文三十六　重七

粻 食米也从米長聲陟良切
粕 糟粕酒滓也从米白聲匹各切
粔 粔籹膏環也从米巨聲其呂切
籹 粔籹也从米女聲人渚切
粽 蘆葉裹米也从米㚇聲作弄切
糖 飴也从米唐聲徒郎切

文六 新附

毇 米一斛舂爲八斗也从𣫜从殳凡毇之屬皆从毇許委切
糳 糲米一斛舂爲九斗曰糳从毇丵聲則各切

文二

臼 舂也古者掘地爲臼其後穿木石象形中米也凡臼之屬皆从臼其九切
舂 擣粟也从廾持杵臨臼上午杵省也古者雝父初作舂書容切
𦦑 齊謂舂曰𦦑从臼屰聲讀若膊匹各切
臿 舂去麥皮也从臼干所以臿之楚洽切
舀 抒臼也从爪臼詩曰或簸或舀以沼切
抭 舀或从手从宂
𦥽 舀或从臼宂

臽 小阱也从人在臼上户猎切

文六　重二

凶 惡也象地穿交陷其中也凡凶之屬皆从凶許容切

兇 擾恐也从人在凶下春秋傳曰曹人兇懼許拱切

文二

說文解字弟七上

說文解字弟七下　漢太尉祭酒許氏記

銀青光祿大夫守右散騎常侍上柱國東海縣開國子食邑五百户臣徐鉉等奉

敕校定

分枲莖皮也从屮八象枲之皮莖也凡𣎳之屬皆从𣎳 匹刃切 讀若髕

枲麻也从𣎳台聲 胥里切

籒文枲从林从辝

文二　重一

葩之總名也林之爲言微也微纖爲功象形凡林之屬皆从林 匹卦切

枲屬从林熒省詩曰衣錦檾衣 去潁切

分離也从攴从林林分椒之意也 穌旰切

文三

與林同人所治在屋下从广从林凡麻之屬皆从麻 莫遐切

未練治纑也从麻後聲 臣鉉等曰後非聲疑復字譌當从復省乃得聲 空谷切

麻藍也从麻取聲 側鳩切

檾屬从麻俞聲 度侯切

文四

豆也象尗豆生之形也凡尗之屬皆从尗 式竹切

配鹽幽尗也从尗攴聲 是義切

俗敊从豆

文二　重一

物初生之題也上象生形下象其根也凡耑之屬皆从耑 臣鉉等曰中一地也 多官切

文一

菜名一種而久者故謂之韭象形在一之上一地也此與耑同意凡韭之屬皆从韭 舉友切

齏也从韭隊聲 徒對切

墜也从韭次朿皆聲 祖雞切

𩐁或从齊

菜也葉似韭从韭㦰聲 胡戒切

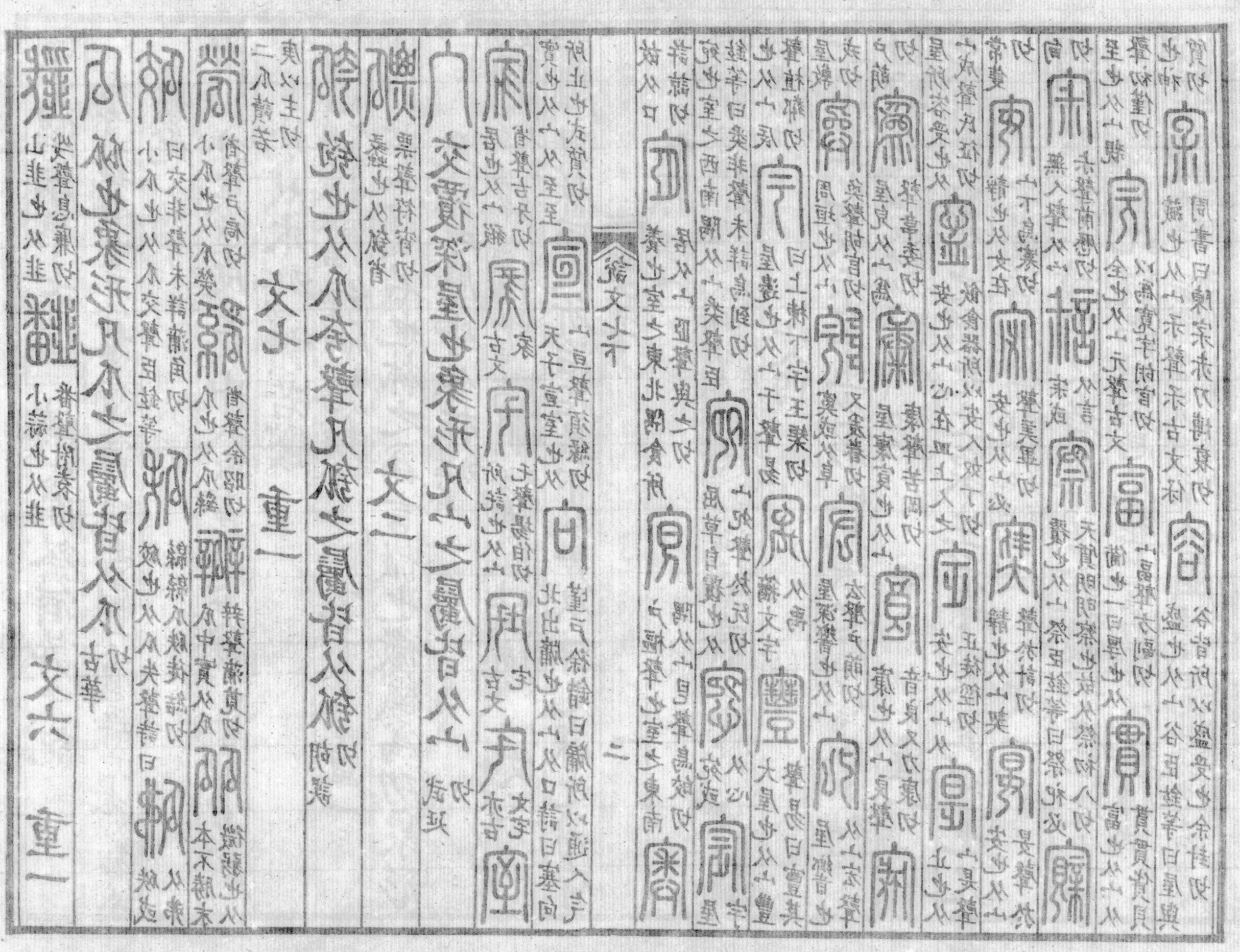

⿱宀公 古文容从公

宂 椒也从宀人在屋下無田事周書曰宮中之宂食而隴切

⿱宀臱 ⿱宀臱⿱宀臱不見也一曰⿱宀臱⿱宀臱不見省人从宀臱聲武延切

寶 珍也从宀从王从貝缶聲博晧切

⿱宀⿰王缶 古文寶省貝

宭 羣居也从宀君聲渠云切

宦 仕也从宀从臣胡慣切

宰 辠人在屋下執事者从宀从辛辛辠也作亥切

守 守官也从宀从寸寺府之事者从寸寸法度也書九切

寵 尊居也从宀龍聲丑壟切

宥 寬也从宀有聲于救切

宜 所安也从宀之下一之上多省聲魚羈切

⿱宀⿱⿰夕夕一 古文宜

⿱宀⿱多一 亦古文宜

寫 置物也从宀舄聲悉也切

宵 夜也从宀宀下冥也肖聲相邀切

宿 止也从宀佰聲佰古文夙息逐切

寑 臥也从宀𠬶聲七荏切

⿱宀⿰爿𠬶 籀文寑省

⿱宀丏 冥合也从宀丏聲讀若周書若藥不眄眩莫甸切

寬 屋寬大也从宀萈聲苦官切

⿱宀吾 寤也从宀吾聲五故切

寁 居之速也从宀疌聲子感切

寡 少也从宀从頒頒分賦也故爲少古瓦切

客 寄也从宀各聲苦格切

寄 託也从宀奇聲居義切

寓 寄也从宀禺聲牛具切

庽 寓或从广

寠 無禮居也从宀婁聲其榘切

⿱宀久 貧病也从宀久聲詩曰煢煢在⿱宀久居又切

寒 凍也从人在宀下以茻薦覆之下有仌胡安切

害 傷也从宀从口宀口言从家起也丰聲胡蓋切

⿱宀索 入家搜也从宀索聲所責切

⿱宀𥷚 窮也从宀𥷚聲𥷚與竆同居六切

⿱穴𥷚 ⿱宀𥷚或从穴

宄 姦也外爲盜内爲宄从宀九聲讀若軌居洧切

⿱九又 古文宄

⿱宀⿱九心 亦古文宄

⿱宀𢾕 塞也从宀𢾕聲讀若虞書曰⿱宀𢾕三苗之⿱宀𢾕麤最切

宕 過也一曰洞屋从宀碭省聲汝南項有宕鄉徒浪切

宋 居也从宀从木讀若送臣鉉等曰木者所以成室以居人也蘇統切

⿱宀執 屋傾下也从宀執聲都念切

宗 尊祖廟也从宀从示作冬切

宔 宗廟宔祏从宀主聲之庾切

宙 舟輿所極覆也从宀由聲直又切

文七十一　重十六

寘 置也从宀眞聲支義切

寰 王者封畿内縣也从宀睘聲戶關切

寀 同地爲寀从宀采聲倉宰切

文三新附

宮 室也从宀躳省聲凡宮之屬皆从宮居戎切

營 市居也从宮熒省聲余傾切

文二

呂 脊骨也象形昔太嶽爲禹心呂之臣故封呂侯凡呂之屬皆从呂力舉切

膂 篆文呂从肉从旅

躳 身也从身从呂居戎切

躬 躳或从弓

文二　重二

穴 土室也从宀八聲凡穴之屬皆从穴 胡決切
⿱穴皿 北方謂地空因以爲土穴爲⿱穴皿戶从穴皿聲讀若猛武永切
窨 地室也从穴音聲於禁切
窯 燒瓦竈也从穴羔聲余招切
⿱穴復 地室也从穴復聲詩曰陶⿱穴復陶穴芳福切
竈 炊竈也从穴鼀省聲則到切
⿱穴鼀 竈或不省
窐 甑空也从穴圭聲烏瓜切
⿱穴⿰火求 深也一曰竈突从穴从火从求省式鍼切
穿 通也从牙在穴中昌緣切
寮 穿也从穴尞聲論語有公伯寮洛蕭切
⿱穴夬 穿也从穴決省聲於決切
⿱穴抉 深抉也从穴从抉於決切
竇 空也从穴瀆省聲徒奏切
⿱穴矞 空皃从穴矞聲呼決切
窠 空也穴中曰窠樹上曰巢从穴果聲苦禾切
窻 通孔也从穴悤聲楚江切
窊 汚衺下也从穴瓜聲烏瓜切
竅 空也从穴敫聲牽料切
空 竅也从穴工聲苦紅切
⿱穴巠 空也从穴巠聲詩曰瓶之⿱穴巠矣去徑切
穵 空大也从穴乙聲烏黠切
窳 汚窬也从穴胍聲朔方有窳渾縣以主切
窞 坎中小坎也从穴从臽臽亦聲易曰入于坎窞一曰㫄入也徒感切
窌 窖也从穴卯聲匹皃切
窖 地藏也从穴告聲古孝切
窬 穿木戶也从穴俞聲一曰空中也羊朱切
窵 窵窅深也从穴鳥聲多嘯切
窺 小視也从穴規聲去隓切
⿱穴⿰正見 正視也从穴中正見也正亦聲敕貞切
窡 穴中見也从穴叕聲丁滑切
窋 物在穴中皃从穴出聲丁滑切
窴 塞也从穴眞聲待年切
窒 塞也从穴至聲陟栗切
突 犬从穴中暫出也从犬在穴中一曰滑也徒骨切
竄 匿也从鼠在穴中七亂切
窣 从穴中卒出从穴卒聲蘇骨切
窘 迫也从穴君聲渠隕切
窕 深肆極也从穴兆聲讀若挑徒了切
穹 窮也从穴弓聲去弓切
究 窮也从穴九聲居又切
竆 極也从穴躳聲渠弓切
⿱穴皀 冥也从穴皀聲烏皎切
窔 ⿱穴皀窔深也从穴交聲烏叫切
邃 深遠也从穴遂聲雖遂切
窈 深遠也从穴幼聲烏皎切
窱 杳窱也从穴條聲徒弔切
竁 穿地也从穴毳聲一曰小鼠周禮曰大喪甫竁充芮切
窆 葬下棺也从穴乏聲周禮曰及窆執斧方驗切
窀 葬之厚夕从穴屯聲春秋傳曰窀穸从先君於地下陟輪切
穸 窀穸也从穴夕聲詞亦切
⿱穴甲 入脈刺穴謂之⿱穴甲从穴甲聲烏狎切

文五十一 重一

㝱 寐而有覺也从宀从疒夢聲周禮以日月星辰占六㝱之吉凶一曰正㝱二曰咢㝱三曰思㝱四曰悟㝱五曰喜㝱六曰懼㝱凡㝱之屬皆从㝱 莫鳳切

寑 病卧也从㝱省𡪢省聲七荏切
寐 卧也从㝱省未聲蜜二切
寤 寐覺而有信曰寤从㝱省吾聲一曰晝見而夜㝱也五故切
𢉝 籀文寤
寣 楚人謂寐曰寣从㝱省女聲依倨切
𥧜 寐而未厭从㝱省米聲莫礼切
𥨊 孰寐也从㝱省水聲讀若悸求癸切
寎 卧驚病也从㝱省丙聲皮命切
寱 瞑言也从㝱省臬聲牛例切
𡫐 卧驚也一曰小兒號寣寣一曰河内相評也从㝱省从言火滑切

文十 重一

疒 倚也人有疾病象倚箸之形凡疒之屬皆从疒 女戹切

疾 病也从疒矢聲秦悉切
𤵸 古文疾
𤶭 籀文疾
痛 病也从疒甬聲他貢切
病 疾加也从疒丙聲皮命切
瘣 病也从疒鬼聲詩曰譬彼瘣木一曰腫旁出也胡罪切
疴 病也从疒可聲五行傳曰時即有口痾烏何切
痡 病也从疒甫聲詩曰我僕痡矣普胡切
瘽 病也从疒堇聲巨斤切
瘵 病也从疒祭聲側介切
瘨 病也从疒真聲一曰腹張都年切
瘼 病也从疒莫聲慕各切
⿸疒丩 腹中急也从疒丩聲古巧切
⿸疒員 病也从疒貟聲王問切

⿸疒出 病也从疒出聲五忽切
疵 病也从疒此聲疾咨切
癈 固病也从疒發聲方肺切
瘏 病也从疒者聲詩曰我馬瘏矣同都切
瘲 病也从疒從聲即容切
⿸疒辛 寒病也从疒辛聲所臻切
⿸疒或 頭痛也从疒或聲讀若溝洫之洫吁逼切
痟 酸痟頭痛从疒肖聲周禮曰春時有痟首疾相邀切
疕 頭瘍也从疒匕聲卑履切
瘍 頭創也从疒昜聲與章切
痒 瘍也从疒羊聲似陽切
⿸疒馬 目病一曰惡气箸身也一曰蝕創从疒馬聲莫駕切
⿸疒斯 散聲从疒斯聲先稽切
⿸疒爲 口咼也从疒爲聲韋委切
⿸疒夬 瘍也从疒決省聲古穴切
瘖 不能言也从疒音聲於今切
癭 頸瘤也从疒嬰聲於郢切
瘻 頸腫也从疒婁聲力豆切
⿸疒又 顫也从疒又聲于救切
瘀 積血也从疒於聲依倨切
疝 腹痛也从疒山聲所晏切
疛 小腹病从疒肘省聲陟柳切
[illegible] 滿也从疒[illegible]聲平祕切
痀 曲脊也从疒句聲其俱切
瘚 屰气也从疒从屰从欠居月切
欮 瘚或省疒
痵 气不定也从疒季聲其季切
痱 風病也从疒非聲蒲罪切
瘤 腫也从疒留聲力求切
痤 小腫也从疒坐聲一曰族絫臣鉉等曰今别作瘯蠡非是昨禾切
疽 癰也从疒且聲七余切
⿸疒麗 癰也从疒麗聲一曰瘦黑讀若隸郎計切
癰 腫也从疒雝聲於容切
瘜 寄肉也从疒息

文十　重一

五

聲相即切

𤸇 乾瘍也从疒鮮聲息淺切

疥 搔也从疒介聲古拜切

痂 疥也从疒加聲古牙切

瘕 女病也从疒叚聲乎加切

癘 惡疾也从疒蠆省聲洛帶切

瘧 熱寒休作从疒从虐虐亦聲魚約切

痁 有熱瘧从疒占聲春秋傳曰齊侯疥遂痁失廉切

痎 二日一發瘧从疒亥聲古諧切

痳 疝病从疒林聲力尋切

痔 後病也从疒寺聲直里切

痿 痹也从疒委聲儒佳切

痹 溼病也从疒畀聲必至切

𤺊 足气不至也从疒畢聲毗至切

瘃 中寒腫覈从疒豖聲陟玉切

⿸疒扁 半枯也从疒扁聲匹連切

瘇 脛气足腫从疒童聲詩曰既微且瘇時重切

尰 籀文从尢

⿸疒盍 跛病也从疒盍聲讀若脅又讀若掩烏盍切

疻 毆傷也从疒只聲諸氏切

痏 疻痏也从疒有聲榮美切

⿸疒巂 創裂也一曰疾瘍从疒巂聲以水切

⿸疒冄 皮剥也从疒冄聲赤占切

⿸疒及 籀文从及

癑 痛也从疒農聲奴動切

痍 傷也从疒夷聲以脂切

瘢 痍也从疒般聲薄官切

痕 胝瘢也从疒艮聲戶恩切

痙 彊急也从疒巠聲其頸切

痋 動病也从疒蟲省聲徒冬切

瘦 臞也从疒叜聲所又切

疢 熱病也从疒从火臣鉉等曰今俗別作疹非是丑刃切

癉 勞病也从疒單聲丁幹丁賀二切

疸 黃病也从疒旦聲丁幹切

⿸疒夾 病息也从疒夾聲苦叶切

痞 痛也从疒否聲符鄙切

⿸疒易 脈瘍也从疒易聲羊益切

⿸疒术 狂走也从疒术聲讀若欻食聿切

疲 勞也从疒皮聲符羈切

⿸疒朿 瑕也从疒朿聲側史切

疧 病也从疒氏聲渠支切

⿸疒及 病劣也从疒及聲呼合切

⿸疒殹 劇聲也从疒殹聲於賣切

癃 罷病也从疒隆聲力中切

⿸疒夅 籀文癃省

疫 民皆疾也从疒役省聲營隻切

瘛 小兒瘛瘲病也从疒恝聲臣鉉等曰說文無恝字疑从疒从心契省聲尺制切

痑 馬病也从疒多聲詩曰痑痑駱馬丁可切

痥 馬脛瘍也从疒兌聲一曰將傷徒活切

⿸疒樂 治也从疒樂聲力照切

療 或从尞

⿸疒古 久病也从疒古聲古慕切

瘌 楚人謂藥毒曰痛瘌从疒剌聲盧達切

癆 朝鮮謂藥毒曰癆从疒勞聲郎到切

瘥 瘉也从疒差聲楚懈切又才他切

⿸疒衰 減也从疒衰聲一曰耗也楚追切

瘉 病瘳也从疒俞聲臣鉉等曰今別作愈非是以主切

瘳 疾瘉也从疒翏聲敕鳩切

癡 不慧也从疒疑聲丑之切

文一百二 重七

冖 覆也从一下垂也凡冖之屬皆从冖臣鉉等曰今俗作冪同莫狄切

冠 絭也所以絭髮弁冕之總名也从冖从元元亦聲冠有法制从寸徐鍇曰取其在首故从元古丸切

冣 積也从冖从取取亦聲才句切

⿱冖託 奠爵酒也从冖託聲周書曰王三宿三祭三託當故切

文四

重覆也从冂一凡冃之屬皆从冃莫保切讀若艸莓之莓
合會也从冃从口臣鉉等曰同爵名也周書曰太保受同嚌故从口史籀亦从口李陽冰云从口非是徒紅切
幬帳之象从冃㞢其飾也苦江切
覆也从冃豕莫紅切
文四

小兒蠻夷頭衣也从冂二其飾也凡冃之屬皆从冃莫報切
大夫以上冠也邃延垂瑬紞纊从冃免聲古者黃帝初作冕亡辡切
冕或从糸
兜鍪也从冃由聲直又切
司馬法胄从革
冡而前也从冃从目莫報切
古文冒
犯而取也从冃从取祖外切
文五　重三

再也从冂闕易曰參天㒳地凡㒳之屬皆从㒳
良獎切
二十四銖爲一兩从一㒳平分㒳亦聲良獎切
平也从廿五行之數二十分爲一辰㒳㒼平也讀若蠻母官切
文三

庖犧所結繩以漁从冂下象网交文凡网之屬皆从网今經典變隸作罓文紡切
网或从亡
网或从糸
古文网
籒文网
罕也从网奄聲於業切
网也从网干聲呼旱切
网也从网繯繯亦聲一曰綰也古眩切
网也从网每聲莫桮切
网也从网巽聲思沇切
逸周書曰不卵不𨂜以成鳥獸𦊢者䍥獸足也故或从足
周行也从网米聲詩曰罙入其阻武移切
罙或从卣
捕魚器也从网卓聲都教切
魚网也从网曾聲作騰切
捕魚竹网从网非秦以罪爲辠字徂賄切
魚网也从网㓵聲㓵籒文銳居例切
魚罟也从网瓜聲詩曰施罛濊濊古胡切
网也从网古聲公戶切
曲梁寡婦之笱魚所留也从网留留亦聲力九切
罶或从婁春秋國語曰溝罛𦋺
罜麗魚罟也从网主聲之庾切

罜麗也从网鹿聲盧谷切罧積柴水中以聚魚也从网林聲所今切罠釣也从网民聲武巾切羅以絲罟鳥也从网从維古者芒氏初作羅魯何切罬捕鳥覆車也从网叕聲陟劣切輟罬或从車罿罬也从网童聲尺容切𦊓覆車也从网包聲詩曰雉離于罦縛牟切罦𦊓或从孚罻捕鳥网也从网尉聲於位切罘兔罟也从网否聲臣鉉等曰隸書作罘縛牟切𦊀罟也从网互聲胡誤切罝兔网也从网且聲子邪切䍇罝或从糸𦋺籀文从虘𦌾牖中网也从网舞聲文甫切署部署有所网屬从网者聲徐鍇曰署置之言羅絡之若罘网也常恕切罷遣有辠也从网能言有賢能而入网而貫遣之周禮曰議能之辟薄蟹切置赦也从网直徐鍇曰从直與罷同意陟吏切罯覆也从网音聲烏感切詈罵也从网从言网辠人力智切罵詈也从网馬聲莫駕切䍦馬絡頭也从网从馬馬馬絆也居宜切羈䍦或从革

罭魚網也从网或聲或亦聲于逼切罳罘罳屏也从网思聲息兹切罹心憂也从网未詳古多通用離呂支切

文三新附

文三十四　重十二

襾覆也从冂上下覆之凡襾之屬皆从襾呼訝切讀若晉

覂反覆也从襾乏聲方勇切覈實也考事襾笮邀遮其辭得實曰覈从襾敫聲下革切覈覈或从雨覆覂也一曰蓋也从襾復聲敷救切

文四　重一

巾佩巾也从冂丨象系也凡巾之屬皆从巾居銀切帉楚謂大巾曰帉从巾分聲撫文切帥佩巾也从巾𠂤所律切帨帥或从兌又音稅𢃇禮巾也从巾从執輸芮切帗一幅巾也从巾犮聲讀若撥北末切㠶枕巾也从巾刃聲而振切幋覆衣大巾从巾般聲或以爲首鞶薄官切帤巾帤也从巾如聲一曰幣巾女余切幣帛也从巾敝聲毗祭切幅布帛廣也从巾畐聲方六切𢄙設色之工治絲練者从巾㐬聲一曰㡆隔讀若荒呼光切帶紳也男子鞶帶婦人帶絲象繫佩之形佩必有巾从巾當蓋切幘髮有巾曰幘从巾責聲側革切㡄領耑也从巾旬聲相倫切帔宏農謂帬帔也从巾皮聲披義切常下帬也从巾尚聲市羊切裳常或从衣帬下裳也从巾君聲渠云切裠帬或从衣帴帬也一曰帗也一曰婦人脅衣从巾戔聲讀若末殺之殺所八切

⿰巾軍 幒也从巾軍聲古渾切
褌 ⿰巾軍或从衣
幒 ⿰巾軍也从巾忽聲一曰帗職茸切
⿰巾松 幒或从松
⿰巾監 楚謂無緣衣也从巾監聲魯甘切
幎 幔也从巾冥聲周禮有幎人莫狄切
幔 幕也从巾曼聲莫半切
幬 禪帳也从巾𠷎聲直由切
㡘 帷也从巾兼聲力鹽切
帷 在旁曰帷从巾隹聲洧悲切
古文帷
帳 張也从巾長聲知諒切
幕 帷在上曰幕覆食案亦曰幕从巾莫聲慕各切
⿰巾匕 㡜裂也从巾匕聲卑履切
㡜 殘帛也从巾祭聲先列切又所例切
⿰巾俞 正耑裂也从巾俞聲山樞切
帖 帛書署也从巾占聲他叶切
帙 書衣也从巾失聲直質切
袠 帙或从衣
⿱前巾 幡幟也从巾前聲則前切
徽 幟也以絳徽帛箸於背从巾微省聲春秋傳曰揚徽者公徒許歸切
幖 幟也从巾票聲方招切
⿱夗巾 幡也从巾夗聲於袁切
幡 書兒拭觚布也从巾番聲甫煩切
⿰剌巾 刜也从巾剌聲盧達切
⿰巾韱 拭也从巾韱聲精廉切
幝 車弊皃从巾單聲詩曰檀車幝幝昌善切
幏 蓋衣也从巾冢聲莫紅切
幭 蓋幭也从巾蔑聲一曰禪被莫紅切
幠 覆也从巾無聲荒烏切
飾 㕞也从巾从人食聲讀若式一曰襐飾賞隻切
幃 囊也从巾韋聲許歸切
帣 囊也今鹽官三斛爲一帣从巾𢍏聲居倦切
帚 糞也从又持巾埽冂内古者少康初作箕帚秫酒少康杜康也葬長垣支手切
席 籍也禮天子諸侯席有黼繡純飾从巾庶省臣鉉等曰席以待賓客之禮賓客非一人故从庶祥易切
古文席从石省
幐 囊也从巾朕聲徒登切
⿰巾奮 以囊盛穀大滿而裂也从巾奮聲方吻切
⿰巾盾 載米齡也从巾盾聲讀若易屯卦之屯陟倫切
⿰巾及 蒲席齡也从巾及聲讀若蛤古沓切
幩 馬纏鑣扇汗也从巾賁聲詩曰朱幩鑣鑣符分切
⿰巾夒 墀地以巾撋之从巾夒聲讀若水溫䰖也一曰箸也乃昆切
帑 金幣所藏也从巾奴聲乃都切
布 枲織也从巾父聲博故切
幏 南郡蠻夷賨布从巾家聲古訝切
⿰巾弦 布出東萊从巾弦聲胡田切
⿱敄巾 髹布也一曰車上衡衣从巾敄聲讀若項莫卜切
幦 髤布也从巾辟聲周禮曰駹車大幦莫狄切
⿰巾耴 領耑也从巾耴聲陟葉切

文六十二　重八

幢 旌旗之屬从巾童聲宅江切
幟 旌旗之屬从巾戠聲昌志切
帟 在上曰帟从巾亦聲羊益切
幗 婦人首飾从巾國聲古對切
幧 斂髮也从巾喿聲七搖切
帒 囊也从巾代聲或从衣徒耐切
帊 帛二幅曰帊从巾巴聲普駕切
幞 帊也从巾菐聲房玉切
幰 車幔也从巾憲聲虛偃切

文九　新附

巿 韠也上古衣蔽前而已巿以象之天子朱巿諸侯赤巿大夫葱衡从巾象連帶之形凡

市之屬皆从市 分勿切

韍 篆文市从韋从犮臣鉉等曰今俗作紱非是

韐 士無市有韐制如榼缺四角爵弁服其色韎賤不得與裳同司農曰裳纁色从市合聲古洽切

𩋡 韐或从韋

文二 重二

帛 繒也从巾白聲凡帛之屬皆从帛 旁陌切

錦 襄邑織文从帛金聲居飲切

文二

白 西方色也陰用事物色白从入合二二陰數凡白之屬皆从白 旁陌切

𤽄 古文白

皎 月之白也从白交聲詩曰月出皎兮古了切

曉 日之白也从白堯聲呼鳥切

皙 人色白也从白析聲先擊切

皤 老人白也从白番聲易曰賁如皤如薄波切

⿰番頁 皤或从頁

皠 鳥之白也从白隺聲胡沃切

皚 霜雪之白也从白豈聲五來切

皅 艸華之白也从白巴聲普巴切

皦 玉石之白也从白敫聲古了切

㿥 際見之白也从白上下小見起戟切

皛 顯也从三白讀若皎烏皎切

文十一 重二

㡀 敗衣也从巾象衣敗之形凡㡀之屬皆从㡀 毗祭切

敝 帗也一曰敗衣从攴从㡀㡀亦聲毗祭切

文二

黹 箴縷所紩衣从㡀丵省凡黹之屬皆从黹 臣鉉等曰丵眾多也言箴縷之工不一也陟几切

⿰黹虘 合五采鮮色从黹虘聲詩曰衣裳⿰黹虘⿰黹虘創舉切

黼 白與黑相次文从黹甫聲方榘切

黻 黑與青相次文从黹犮聲分勿切

⿰黹卒 會五采繒色从黹綷省聲子對切

黺 衮衣山龍華蟲黺畫粉也从黹从粉省衛宏說方吻切

文六

說文解字弟七下